Sports Illustrated

Sports Illustrated

LE SIÈCLE
DU
CANADIEN

INTRODUCTION DE **MICHAEL FARBER**

TABLE DES MATIÈRES

Sports Illustrated

PRÉSENTE

GROUPE SPORTS ILLUSTRATED
Rédacteur en chef : Terry McDonell Président : Mark Ford
Vice-président, Consumer Marketing : John Reese

SPORTS ILLUSTRATED PRÉSENTE
Rédacteur en chef : Neil Cohen
Directeur artistique : Craig Gartner
Rédacteurs principaux : Trisha Blackmar,
Kostya Kennedy, Richard O'Brien
Coordonnateur photo : Jeffrey Weig
Directrice de la rédaction : Pamela Ann Roberts
Rédacteur : David Sabino Rédacteur en chef adjoint :
Gene Menez Rédacteur principal : Michael Farber
Rédacteur : Brian Cazeneuve
Reporters : Adam Duerson, Elizabeth McGarr
Directrice artistique adjointe : Karen Meneghin
Coordonnatrice photo adjointe : Kari Stein
Réviseurs-correcteurs : Rich Donnelly, Denis
Johnston (COORDONNATEUR DE PROJET), Richard
McAdams (ADJOINT), Robert G. Dunn,
Jill Jaroff, Kevin Kerr, Anthony Scheitinger,
John M. Shostrom Collaboration spéciale : E.M. Swift
Remerciements particuliers : Danielle Terrault

TIME INC. HOME ENTERTAINMENT
Éditeur : Richard Fraiman
Directeur général : Steven Sandonato
Directrice du marketing : Carol Pittard
Directeur des ventes au détail : Tom Mifsud
Directeur au développement des nouveaux produits : Peter Harper
Directrice adjointe des ventes en kiosque : Laura Adam
Directrice adjointe à l'image de marque : Joy Butts
Avocate-conseil adjointe : Helen Wan
Directeur principal à l'image de marque : TWRS/M Holly Oakes
Directrice de l'image de marque et des
concessions de licence : Alexandra Bliss
Conception et direction prépresse : Anne-Michelle Gallero
Directrice de la production : Susan Chodakiewicz
Remerciements particuliers : Glenn Buonocore, Suzanne
Janso, Margaret Hess, Brynn Joyce, Robert
Marasco, Brooke Reger, Mary Sarro-Waite, Ilene
Schreider, Adriana Tierno, Alex Voznesenskiy

© 2009 TIME INC. HOME ENTERTAINMENT.
PUBLIÉ PAR SPORTS ILLUSTRATED BOOKS.
Time Inc., 1271 Avenue of the Americas, New York, New York 10020.

SPORTS ILLUSTRATED BOOKS EST UNE MARQUE DE COMMERCE
DÉPOSÉE DE TIME INC. ISBN 10 : 1-60320-071-1 • ISBN 13 : 978-1-60320-071-4
• Library of Congress Control Number : 2009911728 • Imprimé aux États-Unis.

Merci de nous envoyer vos commentaires et suggestions à l'adresse :
Sports Illustrated Books, Attention : Book Editors, PO Box 11016, Des Moines,
IA 50336-1016. Pour commander nos numéros de collection reliés,
veuillez téléphoner au 1-800-327-6388 (du lundi au vendredi
de 7 h à 20 h ou le samedi de 7 h à 18 h HNC).

Henri Richard remporta
11 Coupes Stanley, ce qui
le place à égalité avec Bill
Russell pour le plus grand
nombre de titres de sport
d'équipe en Amérique du Nord.

PHOTOGRAPHE, COUVERTURE : DAVID E. KLUTHO ;
PHOTO DE LA PAGE TITRE : HY PESKIN ;
PHOTO ACCOMPAGNANT LES TEXTES : BY HEINZ
KLUETMEIER ; PHOTOGRAPHES, COUVERTURE ARRIÈRE :
IHA/ICON SMI (5) ; BRUCE BENNETT STUDIOS/GETTY
IMAGES (3) ; DAVID E. KLUTHO (3) ; MANNY MILLAN (3) ;
BETTMANN/CORBIS (2) ; FRANK PRAZAK/HOCKEY HALL OF
FAME (2) ; DAVE SANDFORD/NHLI/GETTY IMAGES (2) ; AP ; DAN
BALIOTTI ; JAMES DRAKE ; GRAPHIC ARTISTS/HOCKEY HALL OF
FAME ; YALE JOEL/TIME LIFE PICTURES/GETTY IMAGES ; LONG
PHOTOGRAPHY ; MARVIN E. NEWMAN ; DICK RAPHAEL ; ELIOT J.
SCHECHTER/NHLI/GETTY IMAGES ; TORONTO STAR/CANADIAN
PRESS ; TONY TRIOLO PHOTO DU FEUILLET AVANT PAR
BETTMANN/CORBIS ; PHOTOS DU FEUILLET ARRIÈRE
PAR FRANK PRAZAK/HOCKEY HALL OF FAME (3) ; ARCHIVE
PHOTOS/GETTY IMAGES ; BETTMANN/CORBIS ; JAMES
DRAKE ; JOHN IACONO ; IHA/ICON SMI ; HEINZ KLUETMEIER ;
DAVID E. KLUTHO ; JOHN G. ZIMMERMAN.

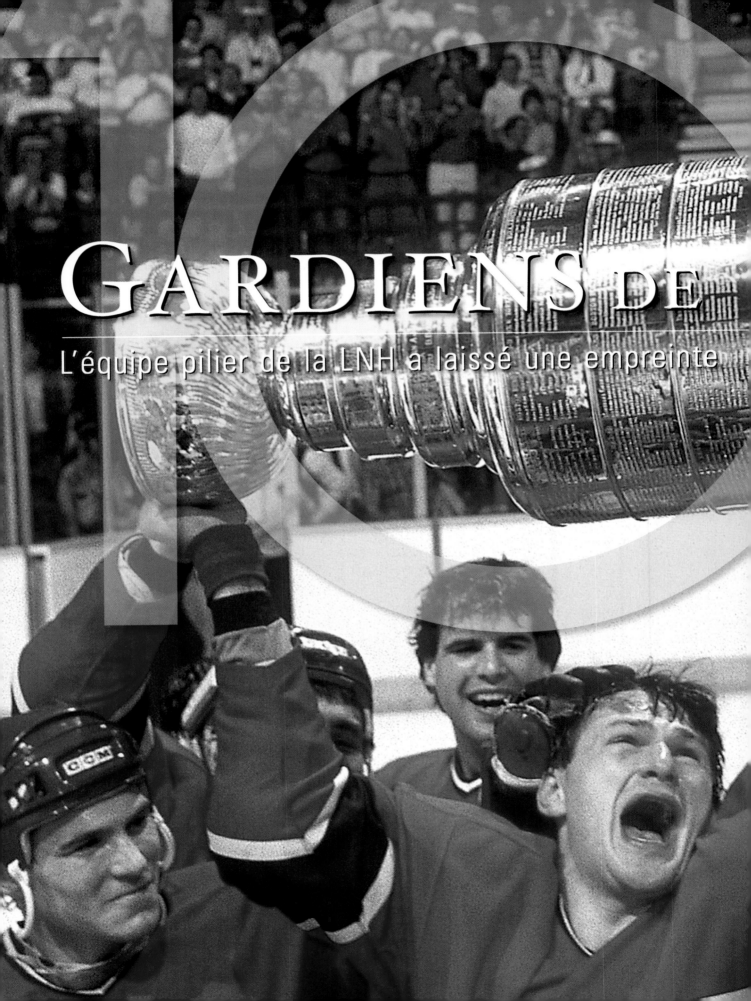

GARDIENS DE

L'équipe pilier de la LNH a laissé une empreinte

LA FLAMME

indélébile sur le hockey | PAR MICHAEL FARBER

Claude Lemieux (avec la Coupe de 1986) et Montréal ont mérité le droit de célébrer leur propre histoire parce qu'ils ont profondément marqué l'histoire du hockey.

D ANS LA PLUPART DES FÊTES D'ANNIVERSAIRE, IL SUFFIT DE CHANTER TOUT bonnement l'air de « Bonne Fête »; mais cette fois il s'agit du 100ᵉ anniversaire du Canadien de Montréal, dont les membres sont à leur meilleur lorsqu'ils chantent leurs propres louanges. L'organisation frise la caricature tellement elle prend un évident plaisir à se complaire dans sa propre histoire — comme je dis souvent, les deux seules institutions occidentales qui ont vraiment le sens de la cérémonie sont la Maison de Windsor et le Canadien, mais en cette saison solennelle, Montréal a trouvé un chœur motivé pour l'aider à chanter

son air de fête. Parmi la foule d'événements spéciaux concoctés par le Canadien qui se déroulent depuis octobre — les soirées des chandails à l'ancienne, la création d'une bague d'honneur et l'installation d'une patinoire extérieure communautaire au Centre Bell, des timbres et pièces de monnaie commémoratifs, les festivités entourant le Match des étoiles — le plus extraordinaire sans doute sera le concert du 2 avril à l'aréna donné par l'Orchestre symphonique de Montréal. Cette fois-ci,

Canadien — en novembre, le numéro 33 de Patrick Roy devint le 15ᵉ numéro à être accroché au plafond; si Montréal en retire davantage, elle aura des joueurs avec des perluètes et des signes de pourcentage dans le dos — mais l'équipe a mérité le droit de louanger sa propre histoire parce qu'elle a profondément marqué l'histoire du hockey.

Même si la prétention de Montréal de représenter la pierre angulaire du hockey s'est émoussée depuis que le siège social de

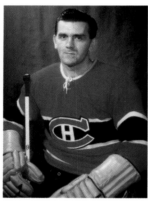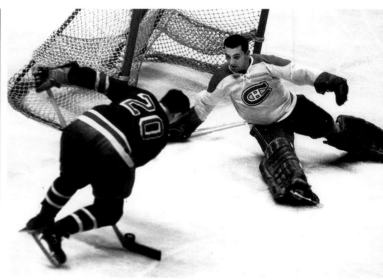

Montréal domina les 50 premières années de la ligue, alors que des membres du Temple de la renommée comme Malone (à l'extrême gauche) — le premier meneur au pointage de la LNH — ainsi que Morenz, Richard et Plante façonnèrent le jeu.

quelqu'un d'autre sera chargé de claironner l'air du Canadien.

Il y a le vieux, et puis il y a le vénérable. Heureusement pour le Canadien, il réunit les deux à la fois. Vieux, dites-vous ? Le Canadien est aussi vieux que la Coupe Grey de la Ligue canadienne de football, plus vieux que l'impôt canadien sur le revenu, plus vieux que la tradition présidentielle américaine du lancer de la première balle, plus vieux que la première performance publique de la monumentale pièce *Das Lied von der Erde* de Mahler. Vénérable, dites-vous ? Ses 24 titres le placent au premier rang de toutes les équipes professionnelles nord-américaines à l'exception des Yankees de New York. Le sentiment d'y avoir droit est tellement ancré dans cette franchise que les 76 années où le Canadien n'a pas remporté la Coupe Stanley font figure d'erreurs de parcours. L'autocongratulation est peut-être une partie constituante du

la LNH s'est déplacé vers New York en 1989, il n'en demeure pas moins que c'est une franchise vedette, une des plus importantes sinon la plus importante de la ligue. Le Canadien a représenté le visage de la ligue parce que ses joueurs ont souvent représenté le visage du jeu, des hommes qui ont laissé une empreinte indélébile sur le hockey.

Il y a 44 joueurs du Canadien (et 10 bâtisseurs) au Temple de la renommée du hockey. Dans la première cohorte du Temple de la renommée, en 1945, on retrouve Howie Morenz, le *Stratford Streak*, un patineur saisissant et un excellent manieur de bâton qui prit place au panthéon de l'âge d'or du sport des années 1920, aux côtés de Babe Ruth, Jack Dempsey, Red Grange, Bill Tilden et Bobby Jones. La carrière de Morenz chevaucha la fin de celle de Joe *Phantom* Malone, le joueur avant prolifique — il devint le deuxième meilleur marqueur du premier demi-siècle du hockey professionnel — et honnête, une combinaison qui trouverait un écho des décennies plus tard dans l'homme le plus respecté du Canada, Jean Béliveau. Le Canadien n'a jamais vraiment eu le monopole de la classe mais l'impression d'avoir réussi cet exploit est demeurée tout de même.

Montréal avait bien entendu eu sa part de vedettes orageuses. Si Gordie Howe est M. Hockey, son contemporain et rival à l'aile droite, Maurice Richard, était M. Québec. En plus d'être le meilleur joueur à l'intérieur de la ligne bleue de l'histoire de la LNH, le *Rocket* était une figure inspirante, un homme qui, par un concours de circonstances, devint le porte-étendard d'une province, une incarnation de ses espoirs et de ses revendications. La poudrière prit feu le 17 mars 1955, lors des célèbres émeutes

fluentes dans le paysage mouvant du hockey. Bien avant Bobby Orr, le défenseur Doug Harvey s'échappait avec la rondelle. (L'année dernière, j'ai demandé à Tom Johnson, défenseur avec Montréal de 1947 à 1963 et gagnant du trophée Norris qui servit plus tard comme entraîneur de Orr à Boston, si Harvey arrivait deuxième après Orr parmi les défenseurs qu'il connaissait. Johnson — qui est décédé depuis — a répondu : « Je ne dirais pas ça. » Il voulait dire par là que Harvey était l'égal de Orr.) Quand Jacques Plante mit un masque lors d'un match le 1er novembre 1959, il permit à ses successeurs dans les filets de se protéger — et changea durablement le visage du hockey. Plante n'inventa pas le masque, tout comme Roy n'inventa pas le style papillon quand il fit irruption dans la ligue au milieu des années 1980. Et pourtant, c'est Roy, le gardien susceptible des deux dernières Coupes de Montréal en

Roy (à droite), qui popularisa la technique papillon, eut un impact important sur la ligue, comme l'eurent (de gauche à droite) Harvey, un défenseur novateur, Béliveau, le *gentleman*, et Lafleur, un joueur viscéralement attrayant.

Richard, une des dates marquées au fer rouge dans l'histoire de l'équipe. (L'étincelle : le président de la LNH Clarence Campbell suspendit Richard pour le reste de la saison pour avoir apparemment tenté de blesser Hal Laycoe de Boston et mis un juge de lignes sans connaissance par un coup de poing, lors du match du 13 mars, ce qui eut pour effet de priver le *Rocket* d'une chance au titre du meilleur marqueur.) Un autre ailier droit, Guy Lafleur, suivrait une décennie plus tard, soulevant les passions des Montréalais de façon moins incendiaire. Comme le *Rocket*, Lafleur était le joueur le plus viscéralement attrayant de son époque, un patineur qui attirait les regards et les éloges par sa vitesse et sa chevelure blonde.

Si le Canadien devint la pierre angulaire de la LNH, de nombreuses personnes qui ont endossé l'uniforme étaient des forces in-

1986 et 1993, qui popularisa le style dominant des gardiens de but à l'échelle du monde.

Pour saisir l'importance des joueurs du Canadien, il suffit de remarquer que depuis l'expansion de la LNH en 1967, ils ont remporté 33 distinctions individuelles. L'autre équipe patrimoniale du Canada, les Maple Leafs de Toronto, en ont trois — dont aucun trophée Hart ni Norris. (On ne peut écrire sur le Canadien sans au moins une référence sarcastique aux Maple Leafs.)

Alors, détendez-vous et profitez du spectacle tricolore en continu, une saison où l'alphabet de la LNH commence par les lettres C et H. Et s'il vous semble que 2008–09 est parfois trop centré sur le Canadien et la fête continuelle un peu trop affectée, sachez que dans le firmament sportif, cette franchise unique est une étoile brillante.   □

VERS 1930 | LE CHANDAIL DE HOWIE MORENZ
Son numéro 7 fut le premier chandail
du CH à être retiré, en 1937.

1937 | LE CHANDAIL DE *TOE* BLAKE
L'équipe de Blake s'inclina 6–5 lors d'un
match-bénéfice pour le regretté Morenz.

1938 | LE TRICOT DE CECIL HART
Montréal avait une fiche de 18-17-13,
mais son entraîneur avait du style.

L E S T R

La mode a changé, les bâtons se sont recourbés et l'équipement du gardien…
égale à elle-même après 100 ans de hockey chez le Canadien : il continue

Photos de DAVE SANDFORD/HOCKEY HALL OF FAME

1946 | LE BÂTON DU 200ᴱ BUT DE *TOE* BLAKE
Avant de devenir entraîneur, Blake compta 235 buts, dont son 200ᵉ avec ce bâton.

1971 | LE BÂTON DU DERNIER BUT DE JEAN BÉLIVEAU
Béliveau fit ses adieux à la LNH en enfilant un but au 4ᵉ match de la finale pour la victoire.

1975 | LE BÂTON DE GUY LAFLEUR
Ce Koho inaugura une série de six saisons consécutives de 50 buts et 100 points.

2004 | LE BÂTON DE GARDIEN DE JOSÉ THÉODORE AU MATCH DES ÉTOILES
Le gardien de Montréal arrêta 10 tirs sur 12 pour remporter la victoire de l'Est.

LES ANNÉES 1960 | LE BÂTON DE GARDIEN DE *GUMP* WORSLEY
Cette décennie fut témoin de quatre Coupes Stanley et deux trophées Vézina pour *The Gumper*.

1925 | LE BÂTON DE GARDIEN DU DERNIER MATCH DE GEORGES VÉZINA
Vézina, aux prises avec une tuberculose mortelle, maniait ce bâton au moment où il s'effondra.

1979 | **LE CHANDAIL DE BOB GAINEY**
Gainey affronta les Soviétiques
lors de la Coupe Défi en 1979.

1989 | **LE CHANDAIL DE LARRY ROBINSON**
Porté lors de son dernier match
avec le CH, une défaite en finale.

2006 | **LE CHANDAIL DE SAKU KOIVU**
L'uniforme du capitaine provenant du
match du Temple de la renommée.

ÉSORS

eh bien! heureusement qu'il a évolué lui aussi. Mais une chose est demeurée
de gagner. Voici l'équipement pour le prouver | PAR ADAM DUERSON

1957
LE TROPHÉE VÉZINA DE JACQUES PLANTE
Ce prix fut le deuxième de cinq trophées consécutifs, un exploit sans précédent.

1930
LE TROPHÉE DE MARTY BURKE
Présenté au défenseur du Canadien par le Club St-Denis après une victoire en finale aux dépens des Bruins.

1923
LE TROPHÉE HART ORIGINAL
Donné par David Hart (le père de l'entraîneur du Canadien Cecil Hart), il fut, sous cette version, utilisé jusqu'en 1960.

1934
LE TROPHÉE D'AURÈLE JOLIAT
British Consols Cigarettes nomma Joliat le joueur le plus utile de l'équipe en 1934, l'année où il compta 22 buts.

BRITISH CONSOLS
CIGARETTES TROPHY
WON BY
AURELE JOLIAT
1933-1934

PRESENTED TO THE PLAYER JUDGED THE MOST USEFUL TO
THE CANADIEN HOCKEY CLUB

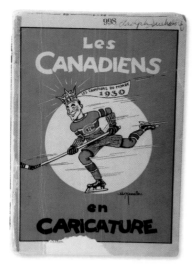

1930–31
Le CH de Morenz deviendra *les Champions du monde* de nouveau, la deuxième équipe à réussir l'exploit.

1933–34
L'équipe rivale des Maroons l'emporta 1–0 mais ne survécut pas à la fin de la décennie.

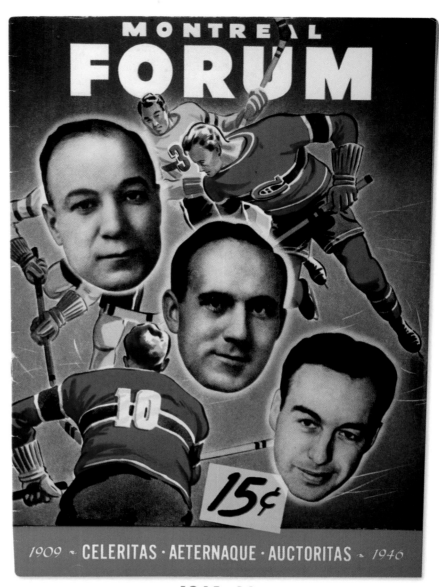

1945–46
L'équipe en titre de 1946 donnait tout un spectacle avec des joueurs étoiles comme Bill Durnan, Maurice Richard et Émile Bouchard, Blake, le gagnant du trophée Lady Byng, et l'entraîneur Dick Irvin.

1937–38
Une foule au Forum rendit hommage à Morenz le 2 nov. 1937, huit mois après sa mort.

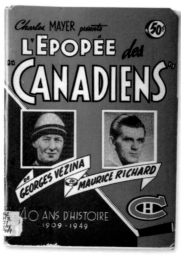

1948–49
L'Épopée remémora 40 années, six Coupes et de nombreux futurs membres du Temple de la renommée.

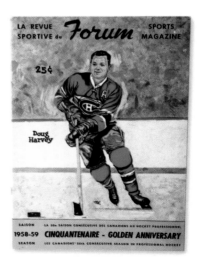

1958–59
Le club sabla le champagne pour son jubilé, puis brandit la Coupe à la fin de l'année.

1957

**LA RONDELLE DU 500ᴱ BUT
DE MAURICE RICHARD**

Richard, 36 ans, était
le joueur le plus âgé
de la LNH lorsqu'il
enfila cette rondelle.

LES ANNÉES 1940

LE PLASTRON DE DURNAN

Cet accoutrement de cuir explique
aisément pourquoi sept saisons
furent suffisantes pour Durnan,
qui remporta six trophées Vézina
à l'époque.

1959
LE PREMIER MASQUE DE GARDIEN DE PLANTE
Blake fulmina quand Plante le mit, ce premier masque à être porté lors d'un match de la LNH. Mais une série de 18 matchs sans défaite par la suite eut tôt fait de le convaincre.

1925
LES PATINS DE GARDIEN DE VÉZINA
Vézina portait ces patins de métal et de cuir cette journée tragique de 1925. Il décéda au mois de mars suivant à l'âge de 39 ans.

VERS 1930
LA CASQUETTE DE JOLIAT
Le *Petit Géant* garda son crâne dégarni au chaud — et caché — sous cette casquette.

1969–70
LES JAMBIÈRES DE WORSLEY
Après une quatrième Coupe à Montréal, Worsley apporta ces jambières au Minnesota, où il joua encore quatre ans.

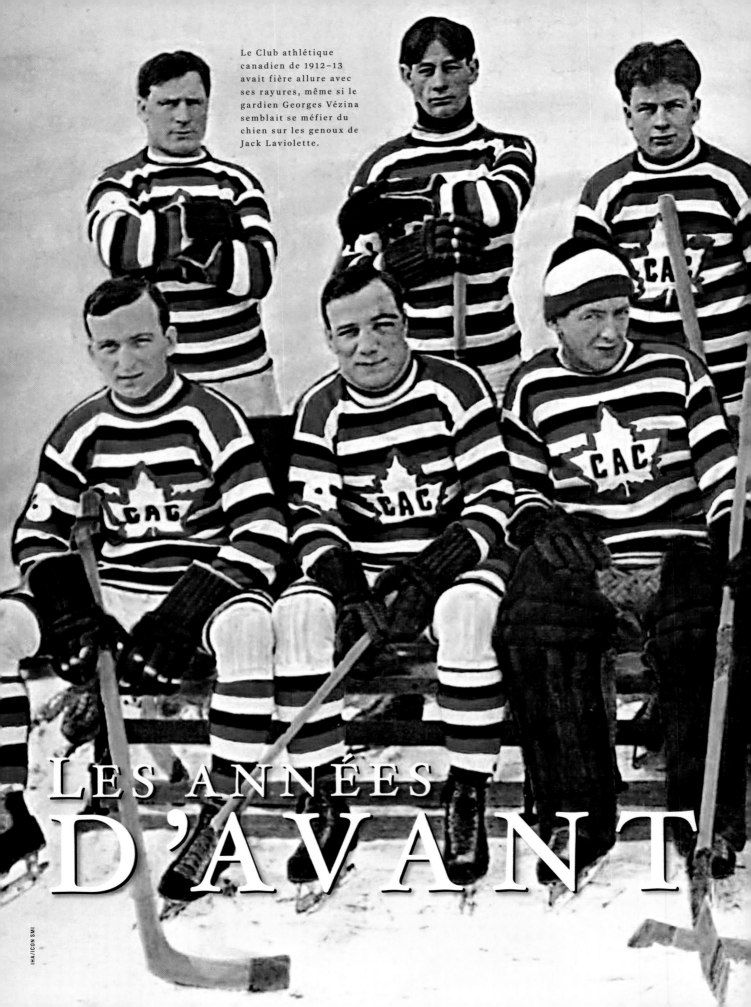

Le Club athlétique
canadien de 1912–13
avait fière allure avec
ses rayures, même si le
gardien Georges Vézina
semblait se méfier du
chien sur les genoux de
Jack Laviolette.

LES ANNÉES
D'AVANT

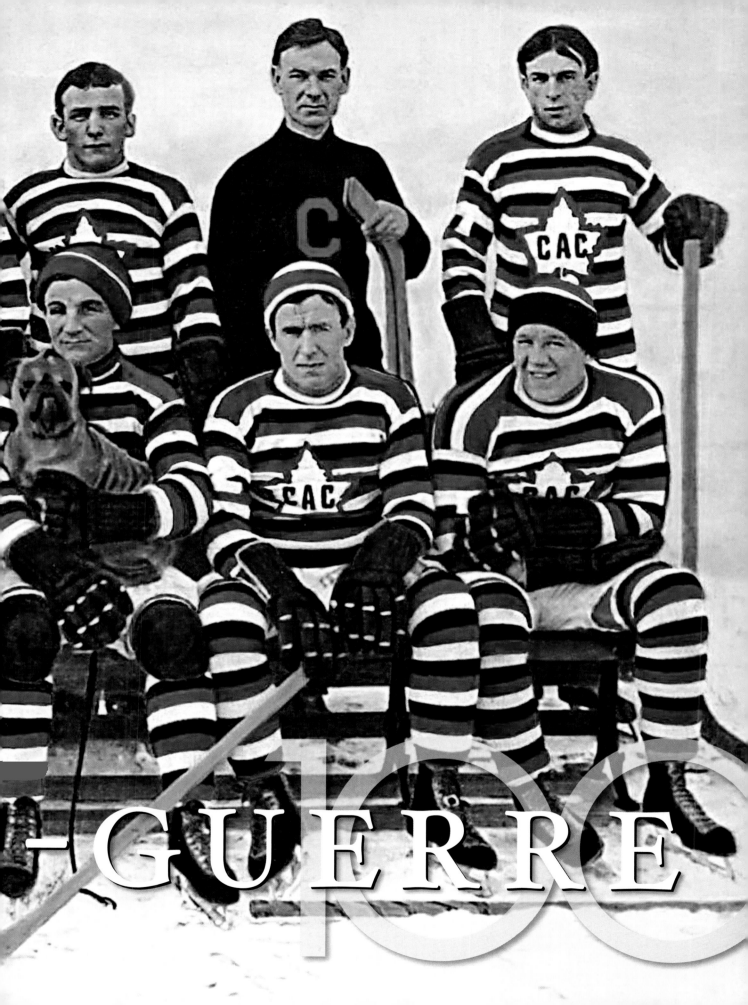

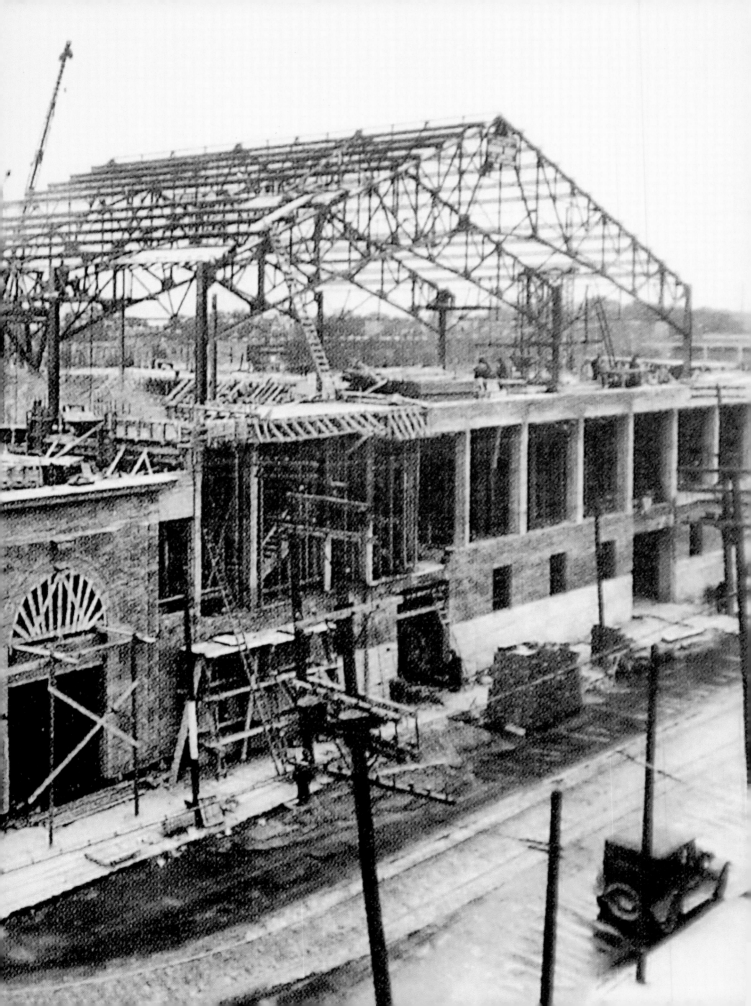

TERRE SAINTE

PAR E.M. SWIFT

J E VAIS VOUS RACONTER UNE HISTOIRE VRAIE. UN type est venu ici la semaine dernière et a posé des questions à un des placiers. « Qu'est-ce qui se passe au Forum de Montréal ? » a-t-il demandé. « Qu'est-ce qui le rend si spécial, hein ? Depuis 69 ans que le Forum existe, les finales de la Coupe Stanley s'y tiendront pour la 32e fois pendant la saison 1992–93 », a-t-il remarqué.

Alors, voulait-il savoir, quel est le secret du Forum ?

Le placier — costard rouge, chemise blanche, cravate noire, pantalon noir : les placiers les mieux habillés du hockey — a répondu sans détour tout en souriant : « Ce sont les fantômes. »

Ça m'a fait un effet, c'est sûr.

Peut-être avez-vous entendu parler de moi. Howie Morenz, le *Stratford Streak*, à votre service. Gardien de la flamme au temple du hockey, agitateur au paradis, enregistreur officieux des faits et menus détails du Forum et ange en attente. Je suppose qu'au fil des 69 dernières années, j'ai à peu près tout vu dans le bâtiment le plus historique et glorieux du hockey.

J'étais là pour son ouverture le soir du 29 novembre 1924 : les Canadiens de Montréal contre les St-Patricks de Toronto. Voici deux histoires cocasses à ce propos. Le Forum n'était pas notre patinoire. C'était la glace flambant neuve d'une nouvelle équipe, les Maroons de Montréal, qui débutait sa saison sur la route à Boston. Nous, les Canadiens, jouions habituellement à l'Aréna

Mont-Royal. Mais cette année-là, l'aréna était en train d'installer un nouvel équipement pour fabriquer de la glace artificielle et la glace n'était pas prête pour le jeu.

Nous étions les champions en titre, alors les propriétaires du Forum nous ont invités à jouer notre premier match à domicile dans leur bâtiment de 1,5 million $ avec 9 300 sièges, le plus gros aréna de la ville. « Somptueux », avait écrit *The Gazette* de Montréal.

Le Forum était une beauté, c'est vrai : une façade en pierre, de grandes baies vitrées sous une rangée d'arches élégantes le long de l'avenue Atwater, une marquise distinguée.

Nous avons attiré 9 000 personnes à ce premier match, à deux doigts d'une salle comble, la plus grosse foule à voir un match de hockey à Montréal à ce jour. Les gens continuaient d'entrer quand, après 55 secondes de jeu, mon vieux coéquipier Billy Boucher a marqué le premier but de l'histoire du Forum. Boucher a eu un tour du chapeau et nous avons remporté un match facile de 7–1 contre les St-Patricks. Je signale en toute humilité que j'ai marqué une fois ce soir-là au Forum.

Le club de hockey, le Canadien, a emménagé au Forum de façon permanente en 1926, l'année où nos rivaux par excellence, les Maroons, ont remporté leur première de deux Coupes Stanley.

Et quelle rivalité ! Les Maroons étaient les favoris des anglophones de Montréal, les Canadiens étaient les favoris des

Le château de glace à l'angle des rues Atwater et Ste-Catherine (à gauche en 1924, et ci-dessus en 1950) passera d'une capacité de 9 300 places à presque 18 000. | *Photo de* IHA/ICON SMI

francophones. Et moi, de descendance germano-suisse arrivé de l'ouest de l'Ontario, qu'est-ce que je faisais là avec les *Flying Frenchmen* ? J'adorais ça. Nous étions unis par la langue du hockey. J'ai été nommé trois fois joueur le plus utile de la ligue, et j'ai aidé à hisser la coupe Stanley trois fois. Et puis… le 28 janvier 1937, la lame de mon patin est restée prise dans une crevasse entre la glace et la bande lors d'un match contre Chicago. Plaqué par Earl Seibert, je suis tombé et me suis cassé la jambe en deux endroits.

Je ne suis jamais sorti de l'hôpital. Dieu sait que j'ai essayé. J'ai trop essayé, peut-être. J'ai fait une dépression nerveuse après un mois à l'hôpital. Au fond de moi, j'ai dû comprendre que ma carrière était foutue. Le 8 mars, cinq semaines après mon dernier match, j'étais assis dans mon lit en train de parler avec un ami quand je me suis écroulé — mort d'une crise cardiaque. Certains ont parlé d'un cœur brisé. Qui sait ?

Un choc. Telle fut la réaction à Montréal. Trois jours après ma mort, l'équipe a organisé un service commémoratif pour moi au Forum, au cours duquel on a placé ma dépouille au centre de la glace. Les Canadiens, les Maroons et les Maple Leafs ont pris place autour de moi et un numéro 7 en motifs floraux ornait mon cercueil.

Quinze mille partisans étaient assis en silence. C'était une scène lugubre, croyez-moi. Dix mille autres personnes s'étaient assemblées à l'extérieur sur la rue Sainte Catherine, et des milliers d'autres longeaient la route jusqu'au cimetière Mont-Royal où mon cercueil a été mis en terre. L'office a été diffusé à la radio

et l'aumônier m'a appelé « le plus grand de tous ». J'ai entendu chaque mot. J'étais là-haut sous les combles du Forum, en train de m'apitoyer sur mon sort et m'en voulant à mort de ne pas avoir coincé Seibert au lieu de le fuir le long de la bande.

« Salut, Howie. »

C'était Georges Vézina, me souhaitant la bienvenue sous les combles. Il avait été notre gardien pendant neuf ans. Il menait la ligue en 1924–25 avec une moyenne de buts contre de 1,87. Quels réflexes il avait ! Mais au premier match de la saison 1925–26, il s'est effondré avec une forte fièvre après la première période; il crachait du sang. On l'a emmené à l'hôpital et quatre mois plus tard, le 27 mars 1926, il était mort d'une tuberculose.

« Salut, Georges, j'ai dit. On n'est pas au…

— Ciel ? Non, Howie. C'est le Forum ici. »

J'ai tendu la main pour le toucher et ma main a traversé la sienne. « Toujours une passoire, dis-je, taquin. Alors, qu'est-ce qui arrive après ?

— Nous allons passer un bon moment ici, dit Georges. Surveiller les gars. C'est drôle. »

Vézina avait raison. Les années se sont envolées si rapidement que nous ne les avons pas vues passer. Combien des fois je me suis tenu là entre les bannières pour encourager la *Punch Line* de *Toe* Blake, *Rocket* Richard et Elmer Lach — le plus célèbre trio de l'histoire du Canadien ? Je me rappelle les 50 buts en 50 matchs de Richard en 1944–45 comme si c'était hier. Le jeune

Lorsque le Forum d'origine n'était qu'une patinoire, les partisans pouvaient payer 35 cents pour voir le tout premier match du Tricolore à l'Aréna Jubilee le 5 janvier 1910. L'équipe de 1924–25 (à droite) comprenait cinq futurs membres du Temple de la renommée, dont Vézina (à gauche), ainsi que Boucher (à l'extrême-gauche) qui marqua le premier but par un joueur du Canadien au Forum.

Jean Béliveau. Doug Harvey le rusé. *Boum Boum* Geoffrion, qui a marié Marlene, ma fille unique.

La direction s'amusait à rendre ça toujours plus joli. La première chose que M. Frank Selke a fait lorsqu'il est devenu directeur-gérant du Canadien en 1946, ce fut de se débarrasser de la section des millionnaires dans la partie nord de l'aréna. Des estrades à bas prix, voilà ce qu'était vraiment la section des millionnaires, à 50 cents la place. Une clôture de fer empêchait la racaille de se mélanger aux gentlemen dans les bons sièges.

En 1949, l'année du jubilé d'argent du Forum, la direction a ajouté la section bleue, portant ainsi sa capacité assise à 13 551 sièges. Richard était à son sommet alors et le turbulent *Rocket* régnait sur la ville comme aucun autre joueur du Canadien avant ni depuis. Il a fracassé le record de pointage de la ligue, terminant sa carrière avec 544 buts. Il a remporté cinq Coupes Stanley d'affilée, de 1956 jusqu'en 1960 — un record qui tient encore aujourd'hui.

En 1968, le Forum a été complètement rénové au coût de 10 millions $ pour devenir ce qu'il est aujourd'hui. Les équipes de démolition sont entrées quelques heures après notre balayage des Blues de St. Louis pour accorder à l'entraîneur *Toe* Blake sa huitième Coupe Stanley, un autre record de la LNH. Tout a été remplacé, sauf les sièges. Nouveau toit, nouvelle réception, nouveaux halls, nouveaux escaliers roulants, et en surplus cet horrible extérieur en caissons. À l'intérieur, toutefois, la vieille fille n'a jamais été si belle. Les 16 197 sièges semblaient flotter au-dessus de la glace.

À chaque match, 1 700 places debout étaient encore offertes. Quel spectacle de voir les placiers ouvrir les portes pour les clients debout ! Jeunes, vieux, hommes ou femmes, ils se précipitaient à leur emplacement préféré comme si le paradis de leurs rêves les attendait là.

C'est peut-être le cas. Il n'y a guère de Montréalais qui ne se rappellent la première fois qu'ils sont entrés au Forum. « Il n'y a qu'un Forum, affirme le grand Guy Lafleur. Cette place est comme une église pour bien des partisans dans tout le Canada. »

Parfois, les gens pensent qu'ils nous voient. Des fantômes en chandail du Canadien. Les joueurs de Montréal pensent parfois nous voir dans le vestiaire. Nos visages sont accrochés au mur — 37 Canadiens [maintenant 44] intronisés au Temple de la renommée. Les noms de tous les autres joueurs de toutes les équipes des Canadiens depuis notre première saison dans la LNH, en 1917–18, sont inscrits sur des plaques accrochées sur ces murs. Et au-dessus de nos photos, il y a cette merveilleuse phrase de *In Flanders Fields*, écrite en 1915 par John McCrae, un poète canadien et chirurgien dans un hôpital montréalais : *À vous de nos mains défaillantes nous lançons le flambeau; à vous de le tenir bien haut.*

Les gars semblent prendre ces mots avec sérieux. Année après année, ils nous ont donné un sacré spectacle. □

Tiré de SPORTS ILLUSTRATED, *7 juin 1993*

De son vivant ainsi qu'après sa mort, Morenz (à gauche), sacré trois fois Joueur le plus utile, incarnait l'esprit des premières années du Forum. À la suite d'une blessure mortelle à la jambe, il reçut un dernier hommage de la part de ses partisans lors d'un service au Forum (à droite) et de la part de ses coéquipiers, qui jouèrent un match commémoratif en son honneur et transformèrent son casier en lieu saint.

L'AVÈNEMENT D'UNE PÉRIODE GLACIAIRE

L'époque de Georges Vézina, Howie Morenz et de quatre Coupes Stanley

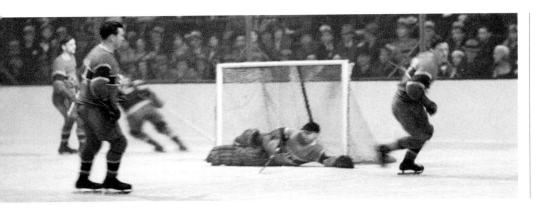

George Hainsworth (qui bloqua les Rangers en 1931) succéda à Vézina dans le filet pour établir un record de la LNH de 22 blanchissages en une saison.

Fondée à l'origine pour être la rivale francophone des clubs anglophones de Montréal, la première équipe des Canadiens mettait en vedette Jack Laviolette, Newsy Lalonde et le tireur redoutable Didier Pitre (à droite), tous admis plus tard au Temple de la renommée.

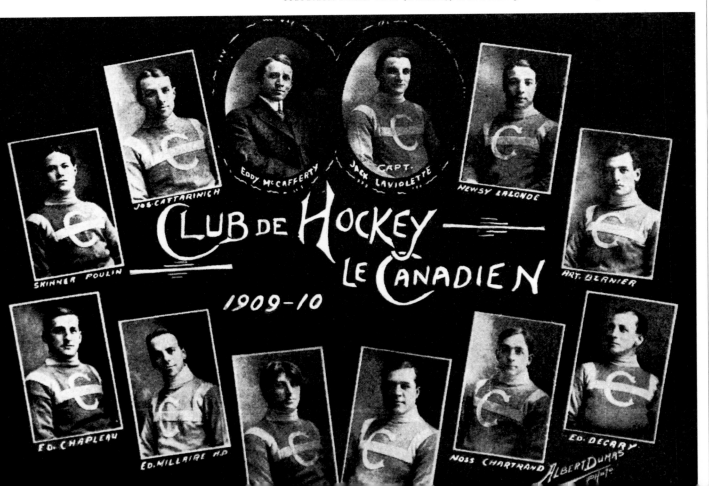

L'ÉQUIPE DES MEILLEURS JOUEURS DE L'ÉPOQUE

JOHN GAGNON

AILIER DROIT, 1930-40 | Surnommé le *Chat noir*, ce joueur de petite taille (5 pi 5 po) joua intensément pendant plus de 10 saisons pour Montréal, en particulier lors des finales de la Coupe Stanley de 1931 où il compta le but gagnant contre Chicago. Gagnon alluma la lampe rouge 115 fois et reçut des mentions d'aide pour 137 buts en 406 matchs avec le Canadien.

HOWIE MORENZ

CENTRE, 1923-34, 1936-37 | Considéré comme le plus grand stratège du jeu de son époque, Morenz remporta le trophée Hart à trois reprises. Pendant un temps, il détint le record en buts de la LNH et fut le joueur le plus populaire. Ses apparitions au sud de la frontière furent décisives pour l'expansion de la ligue vers les États-Unis, lui méritant le titre de Babe Ruth du hockey. Morenz décéda le 8 mars 1937 à la suite de complications d'une jambe cassée lors d'un match le 28 janvier.

AURÈLE JOLIAT

AILIER GAUCHE, 1922-38 | Le plus grand ailier gauche de son époque et un des joueurs les plus durs de la ligue de tous les temps, Joliat compta 270 buts et 460 points en 644 matchs pour les Canadiens, remportant le trophée Hart en 1934. Joliat allait remporter trois Coupes Stanley avec le Bleu-Blanc-Rouge, patinant aux côtés de Morenz avec sa traditionnelle casquette noire.

SYLVIO MANTHA

DÉFENSEUR, 1923-36 | Mantha commença comme joueur avant, une expérience essentielle à son évolution comme l'un des meilleurs défenseurs polyvalents du premier demi-siècle de la LNH. Stable (538 matchs en 13 saisons avec Montréal) et habile (141 points), Mantha fut au cœur de trois Coupes Stanley, partageant la gloire en 1930-31 avec son jeune frère Georges.

ALBERT LEDUC

DÉFENSEUR, 1925-33, 1934-35 | Rapide, fort et dur, Leduc fut surnommé *le Cuirassé* en neuf saisons avec Montréal, comptant 56 buts. Il devint par la suite joueur-entraîneur pour les ligues mineures, avec le jeune Hector *Toe* Blake dans ses rangs.

GEORGES VÉZINA

GARDIEN, 1910-25 | Le gardien du filet pour les deux premières Coupes Stanley du CH, le *concombre de Chicoutimi* était l'homme de fer du hockey, jouant 328 matchs en saison régulière d'affilée (et 39 autres matchs en finales) pendant 16 saisons dans l'Association nationale du hockey et les premières années de la LNH.

L'équipe de 1934-35 (à gauche) comportait Joliat (troisième à droite), qui remporta le trophée Hart en 1933-34.

Le Tricolore gagna sa première Coupe Stanley en 1915–16 (ci-dessus), la 14e saison à Montréal comme pro pour le défenseur Laviolette (à droite), qui avait servi comme premier capitaine, entraîneur et directeur-gérant des Canadiens.

Le Montréalais Sprague Cleghorn (à gauche) servit d'homme fort pour la Coupe de 1923–24. Mantha (ci-dessous, à gauche) fut le meilleur défenseur lors des championnats de 1929–30 et 1930–31.

LES ANNÉES
D'APRÈS

Jacques Plante voyait bien le jeu
et voyait grand aussi en 1957 alors
que les Canadiens affrontaient
Boston en route vers le deuxième
de cinq titres d'affilée.

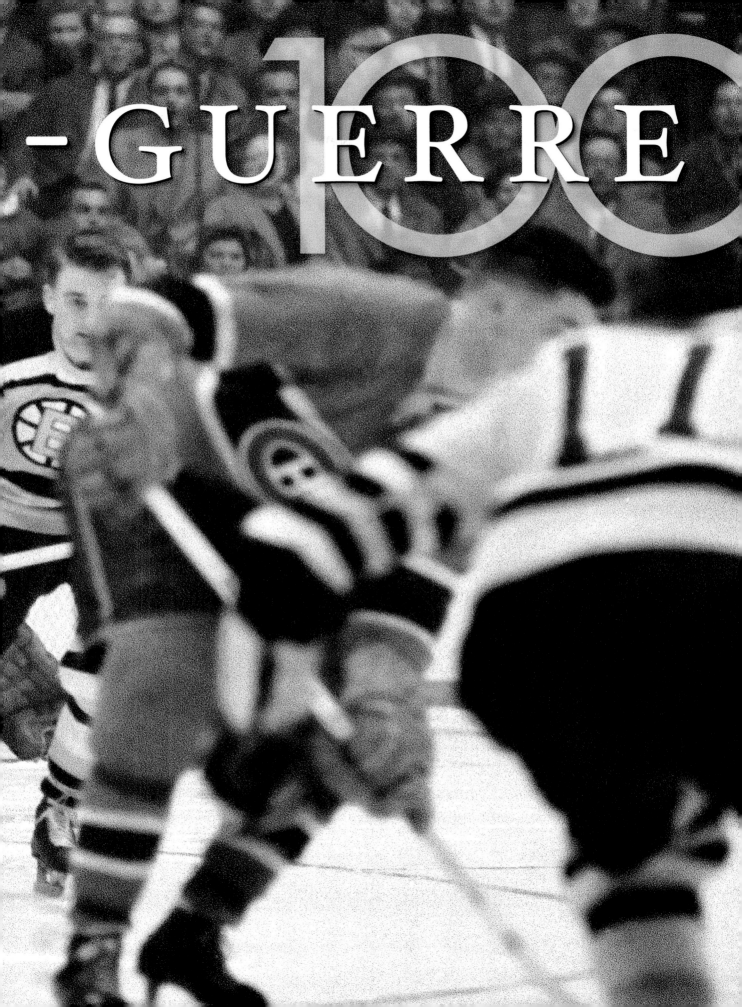

LE FLAIR DU ROCKET

PAR HERBERT WARREN WIND

L E HOCKEY COULE DANS LES VEINES DES MONTRÉALAIS. Après un jeu réussi par un membre de l'équipe locale, ou même de l'équipe adverse, le Forum résonne de la patinoire jusqu'aux combles sous les applaudissements enthousiastes. Mais le charivari singulier et soudain qui secoue le Forum comme un violent orage chaque fois que l'incomparable vedette du Canadien,

Maurice *Rocket* Richard, se fraie un chemin à travers les défenses ennemies et décoche la rondelle dans le filet surpasse de loin cette expérience, en volts et en décibels. Aucun son ne s'y compare dans tout le monde du sport.

Athlète puissant de 33 ans, 5 pi 10 po, pesant aujourd'hui 180 livres (il a pris à peu près une livre par année depuis ses débuts avec le Canadien en 1942), Joseph Henri Maurice Richard, beau et intense, est généralement considéré par la plupart des adeptes de hockey, qu'ils soient de Montréal ou d'ailleurs, comme le plus grand joueur dans l'histoire de ce sport.

Qu'il le soit ou non, bien entendu, est un point litigieux du sport qui relève de l'opinion personnelle. Mais comme ses partisans le font invariablement remarquer, le hockey est par essence un jeu de pointage, et là s'arrête la discussion : le *Rocket* est dans une classe à part. Feuilletez le livre des records vous-même. Le record du nombre de buts — 384 — est établi par Maurice Richard en 12 saisons (le prochain en lice, Nels Stewart, le suit

par pas moins de 60 buts); le record du nombre de buts en une saison — 50 — est établi par Maurice Richard en 1944–45 avec un calendrier de 50 matchs; le record du nombre de buts en séries éliminatoires — 12 — : Maurice Richard; le record du nombre de buts en un match des séries éliminatoires — 5 — : Maurice Richard; le record du nombre de buts à la suite de matchs consécutifs — au moins un but en neuf matchs consécutifs — : Maurice Richard; et ainsi de suite. Le livre des records ne parle pas du plus grand nombre de buts gagnants, mais certains partisans de Montréal, qui compilent amoureusement tous les chiffres se rapportant à Richard, peuvent certifier qu'à la fin de la saison, leur homme avait compté le but gagnant dans pas moins de 59 matchs en saison régulière et huit matchs en séries éliminatoires.

Ce n'est pas la multiplicité des buts de Richard ou leur timing mais plutôt l'adresse spectaculaire dont il fait preuve pour les compter qui ont fait du fougueux ailier droit le Babe Ruth du Hockey. « Il y a des buts, et puis il y a des buts Richard, remarqua Dick Irvin, l'ancien *Silver Fox* qui agit comme entraîneur du Canadien pendant toute la carrière de Richard. Il n'obtient pas des buts chanceux. Il peut atteindre la rondelle et lui faire faire des choses plus rapidement que n'importe quel joueur que j'ai jamais vu — même si, pour cela, il doit traîner deux défenseurs avec lui, ce qui lui arrive souvent. Et ses tirs ! Ils rentrent avec une telle vitesse ! »

Richard (en haut, à droite avec les joueurs de la *Punch Line* Blake et Lach) se tailla une place dans l'histoire du hockey avec ses 50 buts en 50 matchs. | *Photo de* DAVID BIER

UNE DES DES GRANDES OCCUPATIONS DES MONTRÉALAIS EST de discuter à longueur d'année des anciens buts de Richard — lequel a été le mieux préparé ? lequel vous a le plus ému ? etc., comme le faisaient anciennement les Américains à propos des coups de circuit de Ruth et comme ils le font aujourd'hui à propos des attrapés de Willie Mays. D'après Irvin Hector *Toe* Blake et Elmer Lach, les coéquipiers de Richard sur la fameuse *Punch Line*, partagent cette opinion : le but le plus sensationnel du *Rocket* fut le but « Seibert » lors de la saison 1945–46. Earl Seibert, un défenseur de 225 livres qui jouait pour Détroit à l'époque, se jeta sur Richard alors qu'il s'échappait seul dans la zone de Détroit. Or, à l'occasion Richard peut pencher sa tête et son cou très bas lorsqu'il tente de déjouer un défenseur. Et c'est ce qu'il fit sur ce jeu. Les deux joueurs se tamponnèrent avec fracas, et on put observer Richard se redresser et manier la rondelle avec, sur ses épaules, le costaud Seibert. Non seulement Richard transporta-t-il Seibert jusqu'au filet, mais faisant preuve d'un effort supplémentaire surhumain, il déjoua le gardien pour le sortir du filet et, avec sa main libre, réussit à lever la rondelle dans le coin supérieur du filet.

Il y a deux épilogues intéressants à propos de cette histoire. Le premier concerne Seibert et illustre à merveille l'immense respect que les joueurs adverses éprouvaient pour Richard. Lorsque Seibert s'écrasa dans le vestiaire après le match, Jack Adams, l'entraî-neur volubile de Détroit, le regarda avec mépris. « Espèce de gros bêta de Hollandais, commença-t-il, tu vas laisser ce Richard. . . — Écoutez, M. Adams, dit Seibert en le rembarrant, si un type peut faire 60 pieds en me portant et mettre la rondelle dans le filet — eh bien, je lui dis bravo ! » Fin de la conversation. En guise de second épilogue à l'histoire, il faut mentionner que Richard est certainement le seul joueur de hockey qui, pour augmenter sa capacité de jouer sous contrainte, a souvent passé une demi-heure supplémentaire après l'entraînement régulier à parcourir la patinoire à toute vitesse avec son jeune fils, Maurice Jr., le *Petit Rocket*, juché sur ses épaules.

Le but gagnant le plus héroïque de Richard fut sans conteste le but contre Boston — celui qu'il compta contre les Bruins en 1952 pour permettre à Montréal de jouer dans les séries éliminatoires de la Coupe Stanley. Il était tard dans la troisième période; le pointage était à 1–1. Au début de cette période, Maurice reçut une coupure profonde au-dessus de l'œil gauche. On l'amena à la clinique du Forum pour appliquer un bandage de fortune. Le sang suintait encore du bandage quand il retourna au banc et prit son tour sur la glace. « Je vois encore ce but dans ma tête, se rappela récemment Frank Selke Jr., le fils du directeur-gérant du Canadien. Richard dé-clenche une réaction en chaîne chaque fois qu'il s'empare du disque, même si c'est une passe de routine. C'est étrange et merveilleux de

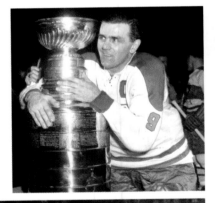

Traînant un défenseur (à gauche), ou seul (ci-dessous, déjouant Red Henry des Bruins en 1953), le *Rocket* se propulsa au filet et mena Montréal à huit Coupes Stanley — partageant la route avec le *Petit Rocket*, ses coéquipiers et (à l'extrême droite, après son 500ᵉ but en 1957) des partisans.

le voir communiquer avec la foule. Cette fois-ci, il s'est emparé du disque à notre ligne bleue, et on savait alors — tout le monde savait — que le match était terminé dès ce moment. Voici ce qu'il a fait. Il s'est faufilé derrière Woody Dumart, qui assurait l'échec avant, puis il s'est envolé le long de la bande droite. Bill Quackenbush et Bob Armstrong, les défenseurs de Boston, l'attendaient de pied ferme. Il a virevolté autour d'Armstrong avec un surplus de vitesse, utilisant sa main droite pour transporter la rondelle et repoussant Armstrong avec sa main gauche, mais Quakenbush l'a coincé dans la bande du coin. Il a pourtant réussi à se dégager de Quakenbush, il a patiné devant le filet, retiré Jim Henry de l'enclave et a encaissé le but. »

COMME IL SE DOIT POUR LE BABE RUTH DU HOCKEY, RICHARD est le salarié le mieux payé de l'histoire de ce sport. Même si la direction du Canadien préfère ne pas divulguer son salaire exact, on sait que celui-ci constitue une part très appréciable de son revenu annuel estimé à 50 000 $, et que complètent ses commissions pour la promotion de produits tels que le tonique capillaire et le coupe-vent Maurice Richard, ses droits sur le *Rocket* du hockey et autres publications le concernant, enfin ses prestations occasionnelles hors saison comme arbitre de lutte. Il y a quelques années, Richard et son coéquipier Kenny Reardon se pointèrent au Canadian Club, le restaurant de Montréal. « Quand les autres clients ont repéré le *Rocket*, raconta Reardon, ils ont commencé à passer le chapeau pour lui. C'était un geste spontané d'appréciation. Ils ont amassé 50 $ comme ça. Les gens n'ont de cesse de l'aider. » Par conséquent, Richard est le compagnon parfait avec qui voyager partout au Québec. Personne ne permet qu'il paie pour ses repas, ni sa chambre d'hôtel, ni ses transports, ni quoi que ce soit.

Et qu'en pense le *Rocket* lui-même ? Comment réagit-il à cette adulation sans bornes ? Le meilleur moyen de le savoir est d'observer la façon dont il se conduit après avoir compté un de ses buts qui a fait sauter la baraque. Sur la glace, loin du tumulte des louanges, alors que l'arbitre attend la fin du vacarme avant de laisser tomber la rondelle pour la mise au jeu suivante, Richard glisse solennellement en tournant en rond, quelque peu embarrassé par la puissance de l'ovation; ses yeux sombres normalement expressifs sont tournés vers la glace et éteints. Rien dans ses gestes ne laisse soupçonner que l'idole porte attention aux acclamations de ses partisans. Les cercles lents qu'il trace sur la glace après un but servent un objectif, celui de prendre un moment bref de détente, un des rares qu'il peut se permettre pendant les six mois que dure la saison. « Maurice, remarqua une fois *Toe* Blake, vit pour compter des buts. » □

Tiré de SPORTS ILLUSTRATED, *6 décembre 1954*

LA PLUS GRANDE GÉNÉRATION

Après une disette de 12 saisons, une nouvelle race de Canadiens mit la Coupe aux lèvres à sept reprises

Avec le *Rocket*, Hector *Toe* Blake (à l'extrême-gauche, acceptant le trophée Lady Byng de 1946) et le centre Elmer Lach (à gauche) donnèrent à la *Punch Line* son impact.

Sauver la face : Après que son visage fut lacéré lors d'un match en 1959 contre les Rangers, Plante se fit panser et retourna jouer illico, devenant le premier gardien de la LNH à porter un masque en jeu.

Bill Durnan ne joua que sept ans dans la LNH mais le gardien ambidextre remporta six trophées Vézina et établit un record de la LNH en 1949 avec quatre jeux blancs consécutifs.

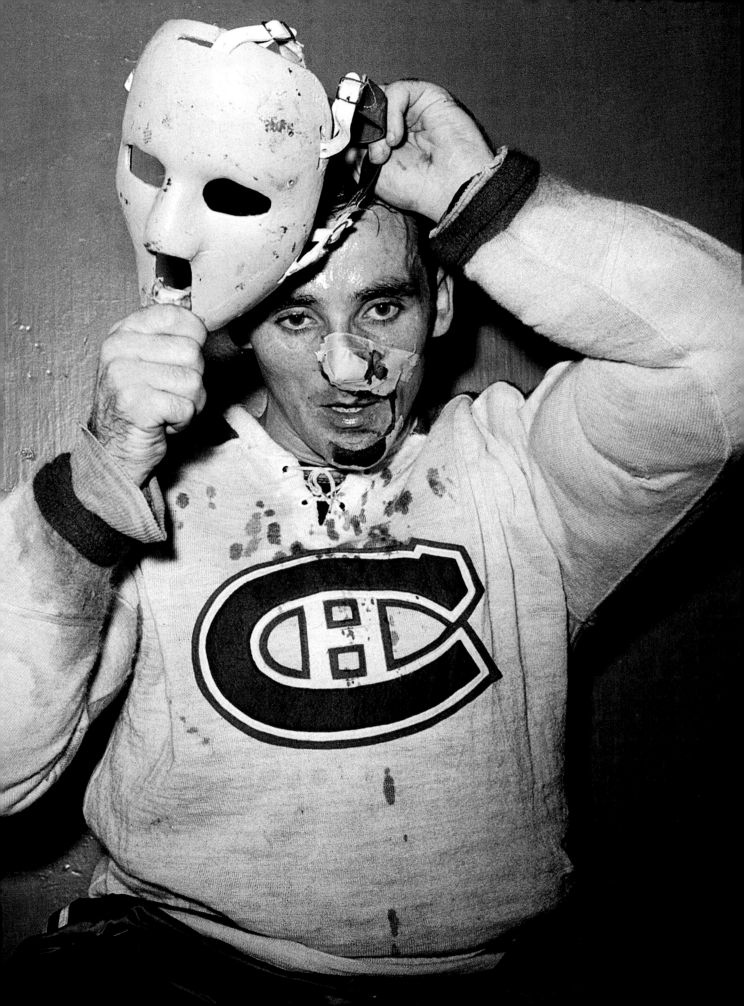

Dick Irvin prit la direction du Canadien en 1940 et redonna la victoire au club jadis si fier. Lors de ses 15 saisons derrière le banc, il mena Montréal à trois Coupes Stanley.

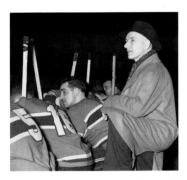

Avec son lancer frappé foudroyant, Bernard *Boum Boum* Geoffrion fut un joueur clé du CH pendant 14 saisons.

Costaud mais fin patineur, Johnson, le gagnant du trophée Norris de 1959, remporta six fois la Coupe Stanley avec Montréal.

Le Tricolore des années 1950 était redoutable. Ici, en 1957, Toronto se mesure à (de gauche à droite) Claude Provost, Don Marshall, Harvey, Dollard St-Laurent et Plante.

Quatre jours après avoir suspendu Richard pour le restant de la saison et les séries éliminatoires à la suite d'une bagarre le 13 mars 1955, le président de la LNH Clarence Campbell fut mal reçu par les partisans furieux au Forum. Les émeutes Richard qui s'ensuivirent demeurent un moment clé de l'histoire du Canadien et de l'histoire canadienne.

Plante (dans le filet) et Harvey (2) se retroussent les manches lors des finales de la Coupe Stanley de 1959, bloquant ce tir des Maple Leafs pour permettre à Montréal de décrocher sa quatrième Coupe d'affilée avec une victoire 5–3 au 5ᵉ match.

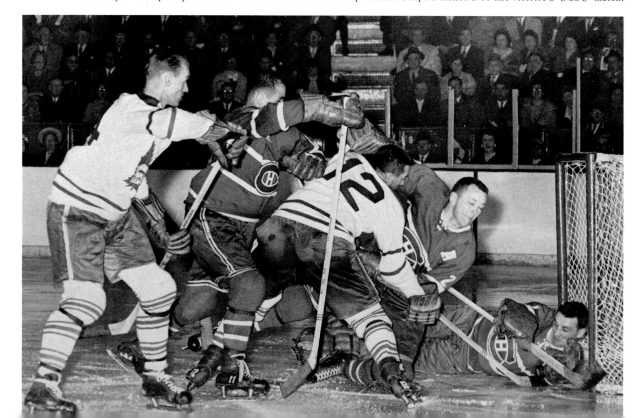

L'ÉQUIPE DES MEILLEURS JOUEURS DE L'ÉPOQUE

MAURICE RICHARD
AILIER DROIT, 1942-60 | Réputé pour son habileté et sa fougue, le joueur vedette de son époque devint le premier à marquer 50 buts en 50 matchs en 1944-45, une des cinq fois où il se hissa au premier rang des compteurs de la LNH. Le *Rocket* fut le premier joueur à atteindre 500 buts en carrière et détenait le record des buts en carrière de 1952 jusqu'en 1963, quand Gordie Howe le détrôna.

JEAN BÉLIVEAU
CENTRE, 1950-51, 1952-71 | Personne n'a autant de fois son nom gravé sur la coupe Stanley que Béliveau : il participa à 10 championnats en tant que joueur et sept autres en tant que membre de la direction du Canadien. Remportant le trophée Hart à deux reprises et le trophée Conn-Smythe inaugural en 1971, Béliveau prit sa retraite au premier rang des marqueurs en postsaison de la LNH de tous les temps.

DICKIE MOORE
AILIER GAUCHE, 1951-63 | *Digging Dickie* s'exerçait sans cesse sur la glace et les résultats étaient au rendez-vous. Moore menait la ligue en buts et en points en 1957-58 malgré le fait qu'il jouait pendant trois mois avec un poignet cassé. Un an plus tard, il établit un record pour la ligue de 96 points. Ce membre du Temple de la renommée fit partie de six équipes championnes et joua trois fois dans le Match des étoiles.

DOUG HARVEY
DÉFENSEUR, 1947-61 | Harvey était un défenseur imposant avec et sans rondelle. Son coup de patin et son maniement du bâton en firent un membre incontournable de la dynastie des Canadiens des années 1950. Il remporta le trophée Norris dans six de ses sept dernières saisons avec Montréal, une série interrompue une seule fois par son coéquipier Tom Johnson en 1958-59.

TOM JOHNSON
DÉFENSEUR, 1947-48, 1949-63 | Seuls trois défenseurs jouèrent plus de matchs pour Montréal que ce joueur intronisé au Temple de la renommée en 1970. Éclipsé par Harvey pendant une bonne partie de sa carrière, le spectaculaire défenseur polyvalent et joueur étoile à deux reprises se classe 11e en points et 12e en passes chez les défenseurs du Canadien.

JACQUES PLANTE
GARDIEN, 1952-63 | Pendant son séjour avec le Canadien, *Jake the Snake* conçut et introduisit le masque de gardien et fut le premier à se rendre régulièrement derrière le filet pour évacuer la rondelle. Il détient le record pour Montréal des matchs joués (556) et des victoires (312) et se classe au deuxième rang en blanchissages (58) et en moyenne de buts alloués (2.23).

Le jeune frère du *Rocket*, Henri, un autre héros du Canadien, mena la ligue à deux reprises en passes.

Toe Blake, devenu entraîneur, soulevé par Moore (à gauche) et Geoffrion après une autre victoire de la Coupe par Montréal en 1956.

Harvey (ci-dessous avec la rondelle, ci-dessus sur les genoux) domina les défenseurs de la LNH en 14 années de jeu avec le CH.

Scène familière des années 1960 : le Canadien célèbre au Forum après sa victoire de la Coupe Stanley en 1965.

JOSEPH CONSENTINO

LES ANNÉES 1960

LE GENTLEMAN HOCKEYEUR

PAR WHITNEY TOWER

L' ÉTÉ DERNIER, PEU APRÈS QU'IL EUT QUITTÉ SON POSTE d'entraîneur du Canadien de Montréal après 15 ans de service pour occuper un poste semblable avec les Blackhawks de Chicago, on demanda à Dick Irvin laquelle des six équipes de la LNH était la plus susceptible de remporter le championnat de 1955–56. « Ça, c'est facile, répondit-il, Montréal, en 10 matchs. »

Il y a quelques jours, le successeur d'Irvin, Hector *Toe* Blake, réfléchit à la drôle de position dans laquelle le départ d'Irvin l'avait laissé. « Quelle que soit la place où nous terminerons, si ce n'est pas la première, j'estimerai que j'ai fait un très mauvais travail, affirma Blake. Si les choses tournent bien, oui, nous devrions gagner en 10 matchs. Mais tout hockeyeur vous dira qu'au hockey, les choses ne tournent pas toujours bien. »

Malgré son pessimisme caractéristique, Blake occupe aujourd'hui une des positions les plus enviables jamais détenues par un entraîneur sportif. Il peut se flatter d'avoir quelque chose qu'aucune autre équipe ne possède : les deux meilleurs compteurs du hockey. Le premier s'appelle Maurice *Rocket* Richard. L'autre est un super bel homme du nom de Jean Béliveau. Il est fort possible qu'aucune équipe dans l'histoire du hockey n'ait été dirigée de si brillante façon par deux artisans comme eux. Il est tout

aussi improbable que deux vedettes dans la même équipe soient de tempéraments si diamétralement opposés que Richard et Béliveau.

En tant qu'ancien ailier gauche avec la célèbre *Punch Line* de Montréal, flanqué de Elmer Lach au centre et de Richard à sa position habituelle à l'aile droite, Blake connaît le *Rocket* probablement mieux que quiconque. Lorsqu'il parle de son ami et vedette aujourd'hui, c'est avec un profond sentiment de tendresse et une admiration sans bornes. « Aussi longtemps que je vivrai, je sais que je ne rencontrerai pas d'autre joueur tel que Maurice. Il ne vit que pour une chose : mettre la rondelle dans le filet. »

Quant à Béliveau, pour Blake c'est la première saison d'une étroite association avec le joueur de centre de 24 ans, qui mène la ligue au pointage, et bien entendu il est moins enclin à user de superlatifs. « Je pense que Jean est formidable, affirme-t-il. Il est grand et fort et habile dans tout, mais il n'a pas le désir de compter de Maurice. » Tommy Ivan, le directeur général de Chicago, évalue de façon plus approfondie les talents de Béliveau. « Béliveau est formidable parce qu'il prend le chemin le plus direct. Il ne tourne pas autour du pot. Il a la taille [6 pi 3 po] et le poids [205 livres] pour se tenir debout. Il est extrêmement puissant, c'est un patineur élégant, il manie déjà superbement le bâton, c'est

JAMES DRAKE

En 1965, Béliveau permit à Montréal de remporter le championnat de la Coupe Stanley (à gauche) et remporta le trophée Conn-Smythe inaugural en tant que joueur le plus utile des séries éliminatoires. | *Photo de* JOSEPH CONSENTINO

un homme d'équipe à 100 % avec un sens inné du jeu. Son tir est merveilleusement puissant et précis. Il serait une vedette dans n'importe quelle équipe. J'aimerais qu'il soit des nôtres. »

Les raisons pour lesquelles Béliveau est aujourd'hui sur la première ligne du Canadien sont fondamentalement les mêmes que celles qui expliquent l'émergence de Montréal ces dernières années en tant que force dominante du hockey canadien. Comme des milliers de jeunes avant et après lui, le jeune Jean, d'abord à Victoriaville et plus tard dans la ville de Québec, vouait un culte à *Rocket* Richard. Contrairement à la majorité des fans de son âge, le jeune Jean avait un immense talent naturel — un talent qui fut rapidement reconnu dans tout le pays lorsqu'il passa de la ligue junior à une vie de vedette comme joueur de centre « amateur » avec les As de Québec, à 20 000 $ par année.

Lors de la saison 1952–53, après une performance éblouissante de cinq buts en trois matchs d'essai avec l'équipe, des représentants du Canadien essayèrent de le persuader qu'il pourrait gagner plus de 20 000 $ en signant un contrat avec Montréal. Mais il a fallu l'intervention de son idole, le *Rocket*, pour boucler l'affaire. Béliveau se rappela l'incident, il n'y a pas si longtemps : « Maurice m'a dit : "Jean, viens avec nous et nous nous amuserons. Tu aimes jouer pour le Canadien." Aujourd'hui, je suis content d'avoir fait ce qu'il m'a demandé. »

Le *Rocket* est apparemment heureux lui aussi : après trois saisons avec Béliveau comme coéquipier, il l'admire plus que jamais. L'autre soir, il adressa à la jeune vedette ce qui constitue sûrement l'éloge suprême au hockey : « Il s'entend bien avec tout le monde, et c'est le meilleur joueur de centre que j'ai jamais vu depuis que je suis dans la ligue. » Et Frank J. Selke, le directeur-gérant du club, affirme à propos de Béliveau : « Il est tellement modeste qu'il rougit quand quelqu'un lui fait des compliments. »

La modestie de Béliveau fait en sorte qu'il minimise facilement ses réalisations. « Si les gens me trouvent bon, ça fait plaisir de l'entendre. Mais pour bien jouer au hockey, il faut avoir la chance de naître avec une habileté. Ensuite, il faut travailler fort tout le reste du temps. Je travaille fort, et je pense que cette équipe est bonne. Nous sommes une belle grande famille ici. »

Béliveau devrait faire partie de la belle grande famille pour 10 ans encore. Comme force d'attraction, Béliveau n'est surpassé que par Richard et pourrait gagner plus de 25 000 $ cette saison, sans compter les 10 000 $ qu'il encaisserait à titre de porte-parole itinérant pour une brasserie montréalaise. Lui et sa ravissante femme Elsie ont récemment emménagé dans une nouvelle maison, et une de leurs préoccupations actuelles hors du jeu est d'en choisir le mobilier — un cadeau offert il y a trois ans par la direction du club, qui voulait ainsi lui témoigner son appréciation d'avoir consenti à un essai avec Montréal alors qu'il jouait encore pour Québec. Les candidats moins promet-

Béliveau était un favori des partisans, non seulement en raison de son habileté au jeu mais aussi pour son sang-froid sur la glace. De 1950 à 1971 à Montréal, il compta 507 buts et 176 points en séries éliminatoires (un record à l'époque) pour remporter 10 Coupes Stanley.

teurs à l'essai reçoivent une compensation de 100 $ par match.

Lorsque les joueurs du Canadien dans leur uniforme rouge et bleu royal liséré de blanc sortent sur la glace du Forum sous les applaudissements du public le plus averti et enthousiaste de tout le sport, les chasseurs d'autographes s'acharnent d'abord sur Richard, ensuite sur Béliveau. Conformément à la personnalité de chacun, Richard, lors de cette brève accalmie avant la tempête, arbore son habituelle mine renfrognée; Béliveau accorde un faible sourire à ses admirateurs. Une fois en jeu, chacun garde sa personnalité propre tout en travaillant pour la même cause.

« Chez Maurice, affirme Selke, les gestes sont commandés par des réflexes instinctifs. Maurice n'apprend pas par des leçons. Il fait tout par instinct et avec une force brute. Béliveau, lui, est sans doute, parmi tous les hockeyeurs que j'ai vus, celui qui a le plus de classe. Il a un flair pour présenter son jeu comme un maître de la mise en scène. C'est le joueur parfait pour un entraîneur parce qu'il étudie le jeu et apprend. Il se déplace et planifie tout le temps, réfléchissant au jeu propice à chaque situation. La différence entre les deux meilleurs joueurs de hockey de nos jours est simplement la suivante : Béliveau est un perfectionniste alors que Richard est un opportuniste. »

Comme ces propos le laissent entendre clairement, le comportement des deux hommes sur la glace est très différent. Le tempérament bouillant et explosif de Richard l'a plus d'une fois mis dans des situations difficiles. Béliveau, pendant un temps, était tout le contraire; de fait, pendant sa première année avec le Canadien, il reçut le sobriquet de *gentleman* lorsqu'on découvrit dans les coulisses que la recrue avait une aversion marquée pour les bagarres. Son ancien entraîneur, Irvin, remarquant l'évolution de Béliveau au cours de la dernière année, affirme maintenant à son sujet : « Comme les autres grands joueurs du jeu, Jean a rapidement compris que ses adversaires cherchaient à le narguer. Ce n'est pas le genre à chercher à se quereller, mais aujourd'hui il peut être aussi intraitable que quiconque. »

Cette semaine, alors que les Canadiens se relevaient les manches pour mettre un terme au règne de deux ans des Red Wings, les champions de la LNH, chacun affichait autant d'optimisme que possible. Richard, montrant encore ses réflexes-éclair d'antan qu'on croyait disparus, affirma qu'il se sentait mieux que jamais. Béliveau, tentant de s'accrocher à son titre de champion marqueur de la ligue, souriait vaguement tout en maintenant sa moyenne supérieure à un point par match. Et Blake, fidèle au poste, broyait du noir comme toujours. « Si notre équipe joue correctement, ils sont beaux à regarder. Mais tout hockeyeur vous dira qu'au hockey, les choses ne tournent pas toujours bien. » □

Tiré de SPORTS ILLUSTRATED, *23 janvier 1956*

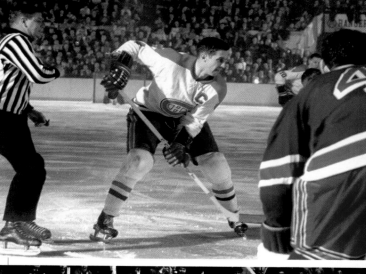

GALERIE

CONTRE-CULTURE

En arrachant la Coupe à Toronto, les Canadiens déplacèrent la capitale du hockey vers Montréal

L'ailier gauche Dick Duff (8), membre du Temple de la renommée, libère la rondelle du gardien Charlie Hodge alors que J.C. Tremblay (3) et Ted Harris (10) bloquent Chicago lors des finales de 1965.

Gump Worsley était inébranlable dans le filet à la fin des années 1960 et il remporta quatre Coupes Stanley et partagea deux trophées Vézina (avec Hodge et Rogatien Vachon).

Tous les signes étaient favorables pour Montréal lors du 7e match des finales de 1965 alors que le CH écrasait Chicago 4–0 pour la deuxième de leurs cinq Coupes des années 1960.

Alors que Montréal patinait vers la victoire en 1966, Gilles Tremblay s'assura de couvrir le grand Gordie Howe de Détroit.

Dave Balon, Duff, Yvan Cournoyer et Cie balayèrent
Toronto en 1966 avant de dominer Détroit 4–2.

J.C. Tremblay s'accroche avec un joueur
des Maple Leafs en 1967; les équipes
rivales canadiennes remportèrent à elles
deux neuf Coupes dans les années 1960.

Duff tenta de marquer
contre Détroit en 1966
(ci-dessous) pendant que
Robert Rousseau attendait
le ricochet. Après avoir
compté le but gagnant pour
la Coupe au 6e match, Henri
Richard eut besoin — et
méritait — de se désaltérer.

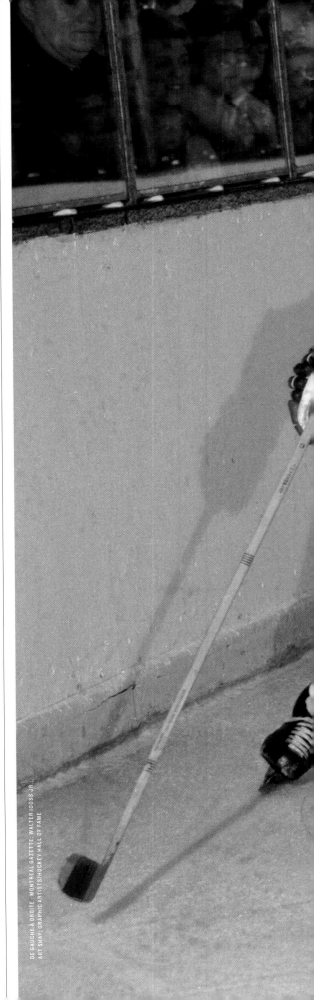

La Coupe de 1968 fut l'une des cinq
que John Ferguson finira par remporter
en huit saisons au cours desquelles il
compta des points (303) et joua du poing
(1 214 minutes de pénalité).

Avec Duff (8) sous attaque, Jean Béliveau montra
son côté moins aimable à Al Arbour des Blues de
St. Louis dans le 1er match des finales de 1968.

Les Canadiens sautèrent la bande à la fin du 4e match pour célébrer leur balayage des Blues.

L'ÉQUIPE DES MEILLEURS JOUEURS DE L'ÉPOQUE

BERNARD GEOFFRION

AILIER DROIT, 1950-64 | Ce joueur, nommé 11 fois joueur étoile, popularisa le lancer frappé, ce qui lui valut le surnom célèbre de *Boum Boum*. En 1960-61, il rejoignit Maurice Richard en comptant 50 buts — la deuxième fois qu'il menait la ligue en buts — remportant son deuxième trophée Art-Ross et son unique trophée Hart.

HENRI RICHARD

CENTRE, 1955-75 | Même s'il fut éclipsé par Maurice, son frère et coéquipier de trio, personne ne remporta autant de Coupes Stanley en tant que joueur que le *Pocket Rocket*, qui hissa le trophée d'argent 11 fois. Dans l'histoire sportive professionnelle d'Amérique du Nord, seul le grand Bill Russell des Celtics de Boston a autant de championnats à son actif sur son c.v. en tant que joueur.

GILLES TREMBLAY

AILIER GAUCHE, 1960-69 | Au cours de ses neuf saisons, Tremblay compta 168 buts et totalisa 330 points pour quatre équipes championnes du Canadien. À cinq reprises, il compta plus de 20 buts en une saison, y compris en 1961-62 où il compta un record en carrière de 32 buts aux côtés de Geoffrion et Jean Béliveau. Contraint à la préretraite en raison d'un problème d'asthme, Tremblay devint le commentateur francophone de l'équipe.

JACQUES LAPERRIÈRE

DÉFENSEUR, 1962-74 | Inébranlable à la défense, le colosse de 6 pi 2 po utilisait sa longue portée au bâton pour mettre fin d'innombrables percées offensives. En 1963-64, à l'âge de 22 ans, il devint le deuxième défenseur (et cinquième Canadien en tout) à décrocher le trophée Calder. Il ajouta le trophée Norris en 1966 après avoir remporté la deuxième de ses six Coupes Stanley avec Montréal.

J.C. TREMBLAY

DÉFENSEUR, 1959-72 | Ancien ailier gauche, Tremblay devint l'un des défenseurs polyvalents les plus respectés de l'histoire, jouant sept fois pour le Match des étoiles et se classant à deux reprises parmi les 10 meilleurs en nombre de passes. Même s'il ne remporta aucun trophée d'importance, il arriva deuxième pour le Conn-Smythe en 1966, après Roger Crozier, et pour le Norris en 1968, après Bobby Orr.

JACQUES PLANTE

GARDIEN, 1952-63 | Plante mena la ligue en victoires et en moyenne de buts alloués lors de la saison victorieuse de 1959-60 et de nouveau en 1961-62. De 1959-60 à 1962-63, Plante mena la ligue en victoires totales (127) et en pourcentage (.652).

Vachon bloqua Boston lors d'une demi-finale en 1969 et Montréal avança pour balayer St. Louis de nouveau.

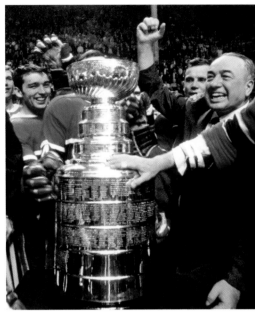

Après sa huitième et dernière Coupe à titre d'entraîneur (et la 11e en tout), *Toe* Blake (à droite) anima le Forum en 1968.

Géant de la défense dans les années 1960, Laperrière (ici contre Toronto en 1969) joua dans cinq Matchs des étoiles en 12 saisons.

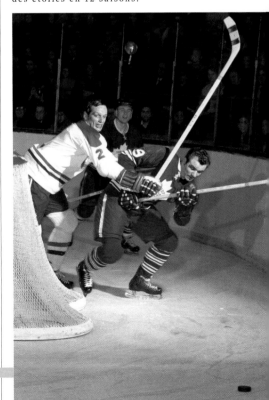

Le spectacle du Canadien des années 1970 — avec en vedette Ken Dryden (dans le filet), Guy Lapointe (5), Réjean Houle (15) et Bob Gainey lors de la finale de la Coupe de 1978 — fut un grand succès à la LNH.

L'ASSASSIN SILENCIEUX

PAR J.D. REID

« Après tout, à Montréal, quand on enfile le gilet rouge, on fait partie du Canadien. »
—JEAN BÉLIVEAU

L E CANADIEN SAVOURE SA VICTOIRE AUX DÉPENS DES Maple Leafs sur le vol de nuit d'Air Canada vers Montréal, avec en contrebande quelques caisses de Molson. C'est la fête, et ce n'est pas seulement à cause de la victoire. En effet, l'équipe montréalaise commence à rivaliser en qualité avec certaines des équipes célèbres qui l'ont précédée. Ayant depuis longtemps remporté la course de sa division, elle mène la LNH avec un score de 51-9-10. À la fin de la semaine, le Canadien va détenir une avance de 10 points sur les Flyers de Philadelphie et 15 points d'avance sur les Bruins de Boston, et il est en route vers les éliminatoires rempli du vieil esprit d'équipe montréalais. Même si, pour la première fois en 32 ans, l'équipe ne compte plus de Richard, même si le Forum a son lot de sièges vides de temps en temps et que le crooner Roger Doucet chante l'hymne national, *Ô Canada*, en anglais aussi bien qu'en français, le Canadien est encore le Canadien.

Il est vrai que la Coupe Stanley a élu résidence à Philadelphie, où Bobby Clarke et Cie voudraient la garder pour une troisième année d'affilée. Il est vrai que Montréal a été déboulonnée par Buffalo aux éliminatoires de la dernière saison. Mais attendez voir cette année. Le Tricolore a un petit quelque chose de plus.

Il y a Guy Lafleur, par exemple. Il est assis parmi la bruyante horde aéroportée au-dessus du lac Ontario, sa bouteille de bière en main comme s'il cherchait un verre pour la boire — quelque chose de plus civilisé, s'il vous plaît, que la beuverie qui se déroule autour de lui. Dans son complet bleu parfaitement coupé, une mallette élégante et mince sous le siège, le jeune Lafleur de 24 ans a l'air d'un courtier qui a été malencontreusement placé entre un Pete Mahovlich de 6 pi 5 po et un capitaine d'équipe, Yvan Cournoyer, aux multiples blessures de guerre. Ne vous y trompez pas. Lafleur est un hockeyeur, un ailier extrêmement talentueux. Lors de la dernière saison, il a établi un record de 53 buts, et à ce jour, il a compté 45 buts et réalisé 57 passes pour mener la ligue, avec Clarke à ses trousses.

Lafleur est une vedette malgré lui. Fuyant les projecteurs et les tournées de conférences, il préfère passer ses temps libres auprès de sa femme Lise et de son petit garçon Martin. Il collectionne les montres, et en effet semble mieux que quiconque connaître la valeur du temps. Quand il habitait à côté du défenseur Pierre Bouchard, il se pointait souvent à 8h, réveillant son coéquipier récalcitrant pour un entraî-

TONY TRIOLO

Après avoir commencé sa carrière avec trois saisons quelconques, Lafleur émergea comme le successeur de Richard et Béliveau. | *Photo de* DICK RAPHAEL

nement à 11h30. *Flower*, comme on l'appelle à Montréal, arrive au vestiaire deux heures avant le match, et commence à frapper avec fougue des bâtons de hockey contre une table — il en fracasse plusieurs — jusqu'à ce qu'il arrive à calmer ses nerfs et à trouver des bâtons incassables. « Si vous ne vous y attendez pas, ce bruit peut vraiment vous faire sursauter », affirme le gardien Ken Dryden.

Fils d'un soudeur de Thurso, une petite ville de pâtes et papier, Lafleur établit des records à la pelle au hockey junior, terminant la saison à Québec avec 130 buts en 62 matchs. Premier choix de Montréal au repêchage en 1971, acclamé comme le prochain Richard, le prochain Béliveau, Lafleur répliqua par trois saisons quelconques. Même s'il était le jeune le mieux payé de la LNH à l'époque, son beau-père, Roger Barry, copropriétaire des Nordiques de Québec, une franchise de l'AMH, tenta à plusieurs reprises de le faire passer à son équipe.

« Quand je l'ai vu la première fois, je trouvais qu'il était dans la moyenne des joueurs de hockey », déclara son compagnon de trio Steve Shutt. « Puis, il y a deux ans à Chicago, il nous a donné un aperçu de ce qu'il cachait derrière sa timidité. Il a tout simplement déjoué toute l'équipe des Blackhawks — il a foncé à travers la meute comme s'il n'y avait personne sur la glace. Henri Richard disait : "Avez-vous vu ça? Personne ne peut faire ça." Après, on savait qu'on n'avait qu'à le faire jouer comme ça tout le temps. »

Les difficultés de Lafleur au début étaient aggravées par le fait qu'il ne satisfaisait ni les partisans et journalistes sportifs montréalais — réputés pour être sophistiqués et critiques — ni lui-même. Aujourd'hui, les journaux montréalais de langue française publient un article sur Lafleur tous les deux jours, rapportant chaque mal de tête, chaque sourire, et consignant chacune de ses rares paroles pour la postérité. Mais dans les saisons passées, il s'imposait le silence, une réticence rarement égalée hors des musées de cire. « Il a fallu beaucoup de temps à Guy pour résoudre ce problème », affirme Béliveau, le superbe joueur de centre du Canadien de 1950 à 1971 et l'idole d'enfance de Lafleur. « Maintenant, il a un contrat de 10 ans, et il s'est assagi. »

Quand Lafleur s'élance sur la glace ces jours-ci, il se transforme subitement de grand sensible en mousquetaire avec cape et épée.

« Guy a tout le talent du monde, affirme son entraîneur Scotty Bowman. Il patine avec génie, il mange la rondelle au bon sens du terme, et il fouine dans les coins au besoin. Mais il est à son meilleur devant le filet. Je pense que le vrai secret de son succès repose sur sa condition physique. Il est incroyable. Nous avons fait des essais avec l'équipe il y a deux ans et Lafleur était en meilleure forme que quiconque. Il s'entraîne aussi implacablement qu'il joue. »

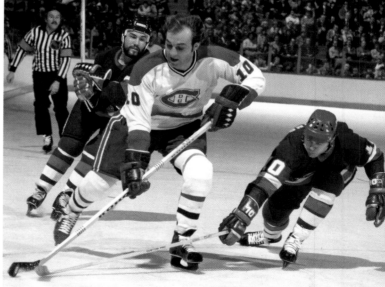

Punch Imlach, le directeur-gérant de Buffalo, affirme : « Guy est extrêmement rapide. Il peut patiner d'un bout à l'autre de la glace et rivaliser avec les meilleurs de la ligue, et il est incroyable autour du filet. Il représente le summum du style montréalais. »

Lors d'un récent match contre les Sabres à Montréal, les habiletés particulières de Lafleur devinrent douloureusement évidentes pour Imlach et le gardien de Buffalo, Gerry Desjardins. Dans les dernières 10 secondes de la deuxième période, Cournoyer fila loin dans la zone des Sabres et fut contraint de renvoyer une longue passe par-derrière. Alors que la rondelle virait vers la ligne bleue pour sortir du jeu, Lafleur, époustouflant de vitesse et d'agilité, l'atteignit et, alors que tout le mérite aurait consisté à garder la rondelle à l'intérieur de la zone, il parvint à décocher un puissant lancer frappé qui frappa le poteau pour le but. Les partisans du Forum étaient fous de joie. « Je n'ai pas eu la chance de bouger, admit plus tard Desjardins. De toute manière, c'était un de ces lancers que j'aime autant ne pas avoir touché. J'aurais eu mal pendant une semaine. »

Guy Lafleur est là ; il est arrivé. Et peut-être aussi le Canadien, encore une fois.

Alors que le Canadien se précipite vers ce qui pourrait s'avérer un rendez-vous avec Philadelphie pour les finales de la Coupe Stanley, Dryden, qui n'a pas été à sa hauteur habituelle dans la dernière saison après une année sabbatique consacrée au droit et à la préparation des examens du Barreau canadien, prépare son topo sur les Brutes de Broad Street. « Philadelphie a été capable de nous intimider sans nous intimider, affirme-t-il. Nous avons eu l'air de jouer notre tout contre eux, mais en fait ce n'est pas le cas. Cette année, je pense que Philadelphie devra apprendre à perdre. Ce sera une leçon très difficile pour eux, et j'espère que cela ne détruira pas leur esprit d'équipe. »

Dans le film d'aventure pour enfants à l'affiche ces jours-ci à Montréal, *Le mystère de la rondelle à 1 000 000 $*, des voleurs de bijoux complotent pour faire passer des diamants aux États-Unis à l'aide d'une rondelle du Canadien. Deux enfants ont vent du plan et font foirer le complot, à l'aide de vrais joueurs de Montréal, et l'annonceur de l'équipe Danny Gallivan. Pour leur récompense, les jeunes sont amenés au vestiaire du Canadien, et chacun reçoit un de ces précieux gilets rouges.

Dans de tels moments, on ne peut s'empêcher de penser que le retour en force de Montréal vers la suprématie ne repose pas simplement sur les lancers de Lafleur et les arrêts de Dryden. Le Canadien va-t-il jouer des tours aux méchants Flyers de Philadelphie ce printemps ? Seul Dieu le sait, et Il n'a rien divulgué aux journaux, ni en français ni en anglais. □

Tiré de SPORTS ILLUSTRATED, *22 mars 1976*

Reconnu pour son coup de patin et sa présence devant le filet, Lafleur compta, parmi les faits saillants de ses 14 saisons avec Montréal, celui d'avoir remporté le trophée Conn-Smythe après la victoire de la Coupe Stanley par le Canadien en 1977 (ci-dessous) et, en 1983, d'être devenu le 10e joueur à compter 500 buts dans sa carrière (à gauche).

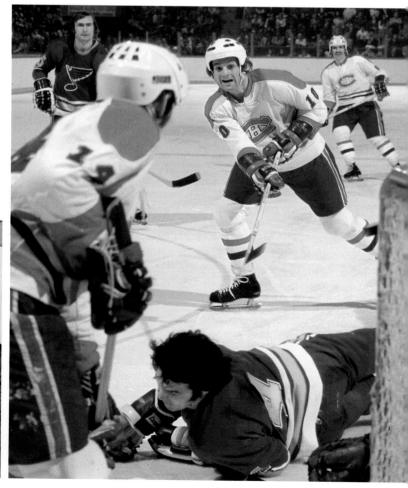

UN ÉTUDIANT DU JEU

PAR MARK MULVOY

« Naître pour créer, pour aimer, pour gagner au sport, c'est naître pour vivre en temps de paix. Mais la guerre nous apprend à tout perdre et devenir ce que nous ne sommes pas. Tout devient une question de style. » — ALBERT CAMUS

KEN DRYDEN, L'ÉTUDIANT EN DROIT DE L'UNIversité McGill qui travaille le soir comme gardien pour le Canadien de Montréal, contemple le message que sa femme Lynda a affiché au-dessus de son bureau dans leur appartement. « La guerre, selon mon interprétation, est la variable à l'intérieur de tout homme », affirme-t-il.

« Pour moi, la guerre c'est le hockey. Je ne peux pas laisser le hockey faire de moi ce que je ne suis pas. »

Venez jeter un coup d'œil pour voir comment la bataille évolue, car Dryden est une rareté du sport, un homme qui fait l'impossible. Commencez par laisser Boston remporter par 20 points la course de la saison régulière de la LNH dans la Conférence de l'Est. Laissez Chicago faire de même à l'Ouest. Dans le cœur de tout partisan des Bruins et des Blackhawks se cache la peur secrète que ce grand étudiant idéaliste et implacable s'élèvera des filets de Montréal pour leur dérober la Coupe Stanley, comme il le fit l'année dernière. C'est possible. Cette saison, Kenneth Wayne Dryden fut l'unique rempart qui empêcha le Canadien de tomber en ruine. L'équipe qui semblait si forte

en octobre avance péniblement depuis février. Mais le Canadien n'a perdu que cinq des 40 matchs joués par Dryden. Avec les remplaçants dans le filet, le Canadien a perdu huit des 13 matchs. Quand Dryden soignait une blessure au dos à Noël, le Tricolore contestait la première place à l'Est aux Bruins et aux Rangers. Quand il est retourné à sa formation trois semaines plus tard, l'équipe avait dégringolé en quatrième place. La semaine dernière, on a pu observer le vieux magicien freiner la glissade du Canadien en remportant deux victoires et deux matchs nuls sur la route.

Vieux? Il a 24 ans et il est toujours classé parmi les recrues de la LNH. Évidemment, il n'a pas succombé au vedettariat, une maladie qui ronge souvent les plus jeunes. Mis à part son numéro de téléphone confidentiel, la vie de Dryden est celle d'un étudiant sans moyens et financièrement dépendant, et non celle d'un pro qui gagne un salaire de 35 000 $.

Les Dryden, qui se sont rencontrés à Cornell, habitent un 3½ peu meublé dans une tour de Notre-Dame-de-Grâce à Montréal. Le seul véritable meuble du salon est un téléviseur couleur avec chaîne stéréo intégrée que Ken a reçu en cadeau pour sa performance héroïque lors de la Coupe Stanley. La table de la salle à manger est une table à cartes déguisée, et les chaises sont pliantes. « On

HEINZ KLUETMEIER

Dryden ne joua que 397 matchs en saison régulière mais en gagna 64,9 % et eut presque autant de blanchissages (46) que de défaites (57). | *Photo de* STEVE BABINEAU/WIREIMAGE.COM

n'achète pas un mobilier sur un coup de tête », affirme Dryden.

Quand il quitte l'appartement pour jouer au Forum ou pour aller à ses cours à McGill, Ken prend le volant de l'une de ses deux voitures également gagnées grâce à ses performances à la Coupe. La plupart des joueurs du Canadien paient 35 $ par mois pour stationner dans un parking couvert en face du Forum. Pas Dryden. Il se promène dans les rues pour dénicher une place gratuite.

Dryden a toujours été un gars sensé, sauf peut-être le jour où il décida de devenir gardien de but. Il commença dans le filet à Islington en Ontario à l'âge de cinq ans. Son père, Murray, avait fabriqué des buts avec des madriers et de la broche à poule et les avait placés dans l'entrée pour faire jouer les garçons du voisinage au hockey de rue. « J'étais dans un but, et mon frère Dave [maintenant avec les Sabres de Buffalo] jouait dans l'autre, raconte Ken. C'était aussi simple que ça. »

Quand Dryden commença à jouer au hockey dans une ligue organisée, il avait sept ans, et c'était comme joueur atome avec l'équipe de Humber Valley dans l'ouest de Toronto. L'année suivante, il joua pour l'équipe de Humber Valley comme peewee, même s'il avait deux ou trois ans de moins que ses coéquipiers. « Mon père a fait ça intentionnellement, affirme Dryden. Son sentiment était qu'on s'améliore plus en jouant contre plus vieux que soi. Et j'ai toujours réussi à m'en sortir. »

Dryden joua comme gardien pour les équipes de Humber Valley jusqu'à l'âge de 15 ans, puis passa à la ligue junior B avec les Indians d'Etobicoke. Après sa première saison avec cette équipe, il fut repêché par Montréal. « Je me rappelle bien cette soirée-là », raconte Scotty Bowman, aujourd'hui entraîneur de Montréal mais à l'époque dépisteur pour l'équipe. « Nous le connaissions par Roger Neilson, notre dépisteur à Toronto, mais son ambition posait problème. Il parlait toujours d'aller à l'école au lieu de jouer dans la ligue junior A. »

« Ils voulaient m'envoyer à Peterborough en Ontario, raconte Dryden. L'équipe là-bas était solide mais ils avaient besoin d'un deuxième gardien. Mes études ont été la pierre d'achoppement. Je voulais faire ma 13ᵉ année, et j'avais beaucoup de pression pour réussir mes études. Je ne voyais pas comment je pourrais vivre à l'extérieur, jouer au hockey et étudier à Peterborough, alors je suis resté à Toronto. »

En plus de jouer dans les buts pour Etobicoke, Dryden était avant dans l'équipe de basketball de son école pour les matchs intermunicipaux. En fait, quand il termina sa 13ᵉ année, plusieurs universités canadiennes et au moins une école américaine lui offrirent des bourses d'études pour jouer à la fois au hockey et au basketball. Mais Ken semblait décidé à étudier à Princeton. Plus tard, sur l'insistance de ses amis, il visita Cornell et oublia Princeton.

Sur la glace à Cornell, Dryden était quelque peu légendaire. En

Avec son agilité de corps et d'esprit, le colosse de 6 pi 4 po (à gauche, à la bibliothèque de droit de McGill) contrecarra sans cesse les marqueurs éventuels et mena le Canadien à six Coupes Stanley en sept saisons complètes tout en remportant le trophée Vézina à cinq reprises.

trois ans, il n'encaissa que quatre défaites, et sa moyenne de buts contre était un très faible 1,60.

Pendant tout ce temps, Dryden n'eut aucune nouvelle du Canadien. « J'ignorais leur existence, affirme-t-il. Mais à la fin de ma dernière année, après un match à Boston College, quelqu'un m'a dit que *Toe* Blake [de la direction du Canadien] était dans les gradins. » Plus tard, le directeur-gérant de Montréal, Sam Pollock, conduisit jusqu'à Ithaca pour voir Dryden remporter un autre match. Il lui annonça alors que le Canadien lui donnerait des nouvelles après les séries éliminatoires. Dryden avait été accepté au Harvard Law School et, comme il dit, « je voulais vraiment y aller ». Le hic était qu'il ne pourrait pas jouer au hockey. Entre-temps, l'équipe nationale du Canada lui offrit un contrat de trois ans qui comprenait les frais de scolarité à l'Université du Manitoba à Winnipeg. Pollock n'allait pas plus loin que la ligue mineure de hockey.

Dryden décida finalement de jouer avec l'équipe nationale et de faire son droit à Winnipeg. « Quand j'ai téléphoné à M. Pollock, raconte-t-il, il était sous le choc. Je suis convaincu qu'il pensait que j'utilisais mes études de droit pour soutirer plus d'argent. » Tout au plus le sérieux de Dryden pour ses études de droit fit-il une impression sur Pollock, et quand l'équipe nationale s'éclipsa un an plus tard, il offrit à Dryden la chance de combiner le hockey et l'école de droit à Montréal. Ken sauta sur l'occasion. Lors de la dernière saison, il étudia à temps plein en droit à McGill et joua comme gardien les fins de semaine pour les Voyageurs de Montréal, une équipe de la ligue de hockey américaine, jusqu'au début de mars. C'est à ce moment-là que le Canadien réalisa qu'il ne remporterait pas la Coupe Stanley avec les gardiens dont il disposait. Dryden fit son entrée. . . et Boston, Minnesota et Chicago firent leur sortie.

Même si Dryden est parvenu à combiner ses deux carrières sans difficulté apparente, il a le sentiment que le monde du hockey le voit d'un œil suspicieux. « Ils ont développé ce préjugé selon lequel une personne qui a d'autres occupations n'a évidemment pas la disposition d'esprit requise pour aborder le hockey, mais selon moi, c'est tout le contraire. Le hockey en tant qu'occupation à temps plein, 365 jours par année, est une absurdité. »

Toujours est-il que la plupart des gens du milieu croient que Dryden jouera encore deux ou trois ans, puis s'installera dans le somptueux fauteuil d'un cabinet d'avocats quelque part en Ontario. « Bon sang ! s'exclame-t-il, c'est une attitude tellement défensive, fondée sur un faux raisonnement. Ce qu'ils font revient à abaisser l'athlétisme. Ils se disent ceci : "Bien sûr, il ne restera pas très longtemps parce qu'il sait faire autre chose." Il y a certainement des choses plus importantes dans la vie, mais en même temps le hockey est agréable et c'est un défi. Voilà pourquoi j'y joue. Croyez-moi, je ne pourrais pas me contenter du droit. » □

Tiré de SPORTS ILLUSTRATED, *14 février 1973*

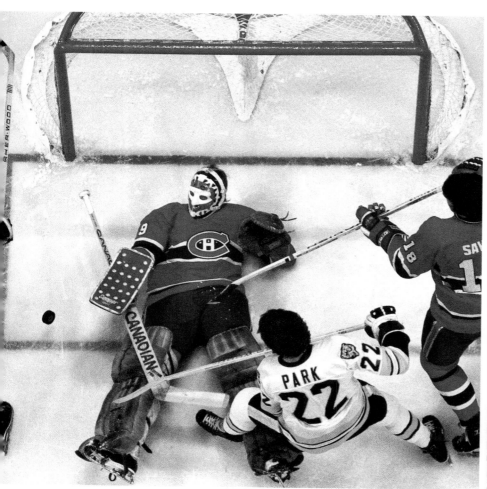

GALERIE

LA DÉCENNIE DE LA DOMINATION

Avec six Coupes, ce fut la période la plus couronnée de succès de l'histoire du Canadien

Dans une rare confrontation
contre l'équipe de l'Armée rouge
en 1975, Doug Risebrough et
Montréal firent l'égalité 3–3.

En 1973, Henri Richard souleva
sa dernière coupe Stanley, la 11e,
un record pour un joueur de la LNH.

Richard vainquit Tony Esposito des Blackhawks pour les buts égalisateur et vainqueur (ci-dessous) lors du 7e match des finales de 1971, permettant à Montréal de remporter sa cinquième Coupe en sept ans.

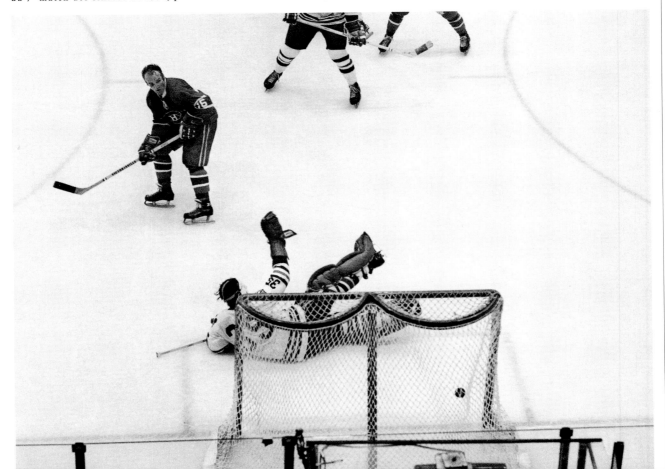

DE GAUCHE À DROITE : DENIS BRODEUR/NHL//GETTY IMAGES;
JOHN F. JAQUA; DICK RAPHAEL

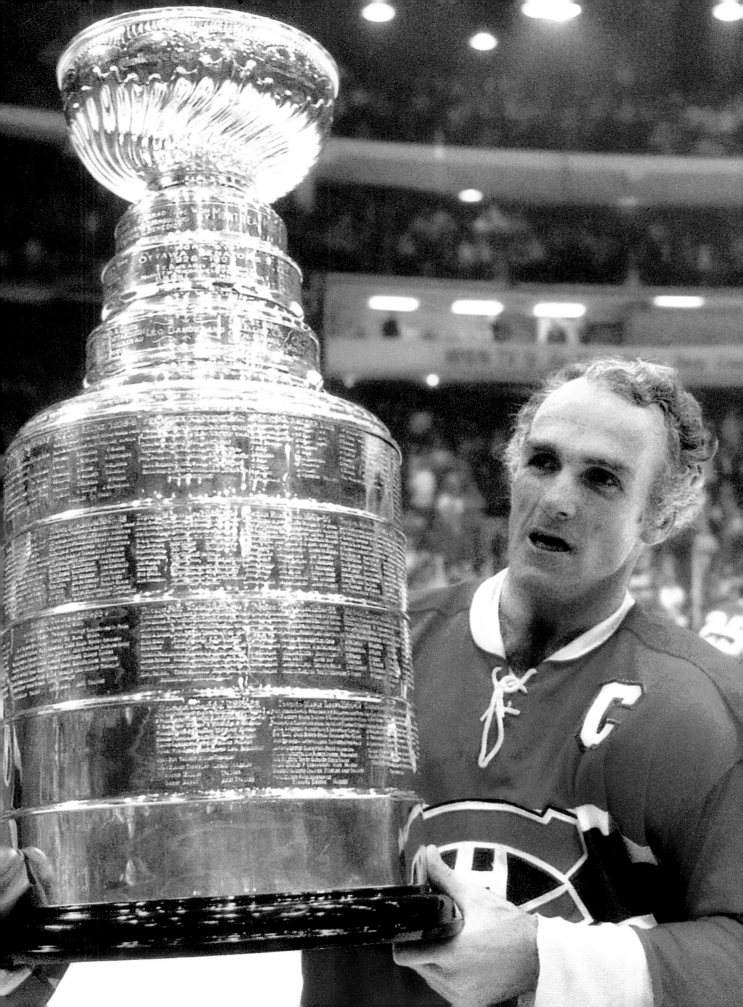

Surnommé *Roadrunner* pour sa vitesse, l'ailier Yvan Cournoyer compta 428 buts en 16 saisons avec Montréal.

Lors des finales de 1976 contre Philadelphie le cogneur Robinson aida le Canadien à mettre fin à une disette de Coupe qui avait duré deux ans.

Avec Robinson et Guy Lapointe, Serge Savard (à gauche) fit partie du *Big Three* de la défense, alors que le joueur avant Pete Mahovlich, 6 pi 5 po, joua avec ardeur pour les titres de 1971, 1973, 1976 et 1977.

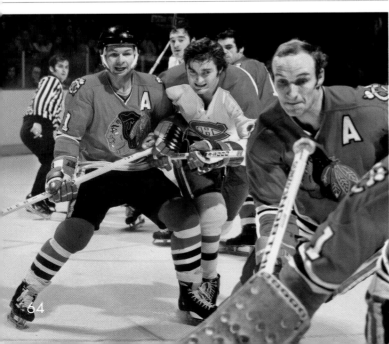

L'entraîneur comptant le plus de victoires dans l'histoire de la LNH, Scotty Bowman, remporta cinq Coupes Stanley à Montréal, dont quatre d'affilée de 1976 à 1979, et au moins 45 matchs dans chacune de ses huit saisons.

Bill Nyrop joua seulement pendant trois saisons avec le Canadien (et seulement quatre en tout) mais prit sa retraite avec trois bagues, dont celle de 1977 (à gauche).

Steve Shutt établit un record pour le plus grand nombre de buts en une saison marqués par un ailier gauche, soit 60 buts, en 1976–77, l'année où Montréal remporta 60 matchs, un record pour la LNH.

Longtemps avant de devenir directeur-gérant du Canadien, Gainey remporta quatre trophées Selke en tant que meilleur joueur avant défensif de la ligue.

L'ÉQUIPE DES MEILLEURS JOUEURS DE L'ÉPOQUE

GUY LAFLEUR

AILIER DROIT, 1971-85 | Peu de visions inspiraient autant la crainte à un gardien que la vue du numéro 10 de Montréal qui fondait sur lui avec une rondelle au bâton. Lafleur compta au moins 50 buts et dépassa les 100 points en six saisons d'affilée, de 1974-75 à 1979-80, avec pour résultat un record pour le club de 1 246 points.

JACQUES LEMAIRE

CENTRE, 1967-79 | Un des rares heureux à compter le but gagnant en deux finales de la Coupe Stanley, Lemaire était aussi constant qu'habile en situation de crise, marquant au moins 20 buts lors de chacune de ses 12 saisons à la LNH. Il joua pour 8 championnats avec les Canadiens et, après sa retraite, servit comme directeur-gérant adjoint deux autres saisons.

BOB GAINEY

AILIER GAUCHE, 1973-89 | Le premier et plus fréquent gagnant du trophée Selke, Gainey fut choisi meilleur joueur avant défensif de la LNH pendant quatre saisons consécutives à compter de 1977-78. Un des joueurs les plus respectés du hockey, Gainey était considéré par l'entraîneur soviétique légendaire Viktor Tikhonov comme le joueur le plus complet du monde.

SERGE SAVARD

DÉFENSEUR, 1966-81 | Savard n'était pas le membre le plus tape-à-l'œil de la dynastie du Canadien mais un de ses plus indispensables, assurant une présence défensive forte pour 8 équipes championnes. *Le Sénateur* fut le premier défenseur à remporter le trophée Conn-Smythe et un des véritables guerriers du jeu, mettant son corps dans la balance à plusieurs reprises pour le bien de l'équipe.

LARRY ROBINSON

DÉFENSEUR, 1972-89 | Le joueur le plus utile des finales de la Coupe Stanley de 1978, Robinson, était une valeur sûre en postsaison, établissant des records en séries éliminatoires pour les matchs consécutifs et le total des matchs, dont 203 avec le CH. Malgré sa position arrière, Robinson est classé au troisième rang de tous les temps pour les buts en séries éliminatoires avec Montréal : 134 points en carrière.

KEN DRYDEN

GARDIEN, 1970-73, 1974-79 | Même s'il ne joua que 7 saisons complètes, Dryden remporta le trophée Vézina 5 fois et il est le seul joueur à avoir remporté la distinction du joueur le plus utile en postsaison avant de remporter le prix de la meilleure recrue. Son pourcentage de victoires en carrière de .758 est le plus élevé de l'histoire de la ligue pour un gardien avec un minimum de 100 matchs.

Avec Dryden dans le filet, Montréal termina les années 1970 en battant les Rangers pour la Coupe.

Le Canadien célébra une victoire en prolongation contre Boston lors du 7e match marquant des séries éliminatoires de 1979.

Doug Jarvis commença sa série infernale de 964 matchs consécutifs, un record de la LNH, en jouant pour Montréal.

Les Années

Le Canadien était
le *king* de la LNH
pour la deuxième
fois en huit saisons
après la victoire
contre Los Angeles
en 1993.

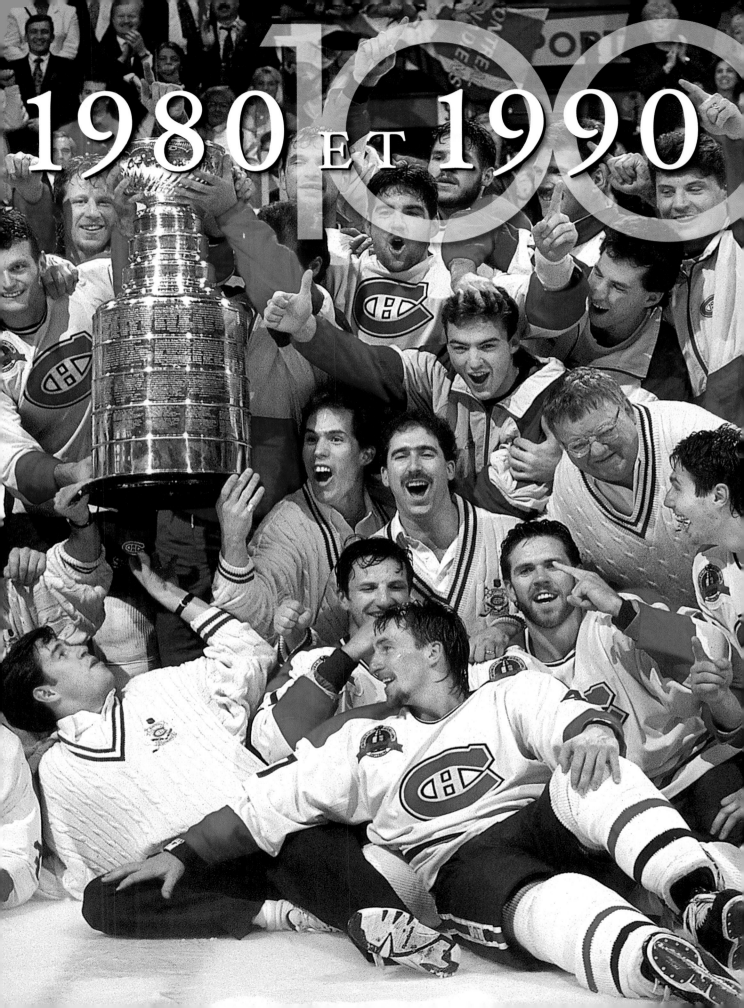

1980 ET 1990

100

LE ROY DE L'ENCEINTE

PAR E. M. SWIFT

U N PETIT GESTE, À COUP SÛR, MAIS AUSSI dévastateur dans les circonstances qu'une mise en échec tonitruante. Le gardien du Canadien de Montréal Patrick Roy regarda son adversaire et lui fit un clin d'œil.

À quoi pensait-il ? Tard dans la prolongation, au 4ᵉ match des finales de la Coupe Stanley le 7 juin, les attaquants des Kings de Los Angeles allaient franchir l'entrée du but, lorsque Roy déjoua Luc Robitaille et gela la rondelle. Puis, malicieusement, il zyeuta Tomas Sandstrom des Kings en clignant de l'œil gauche, comme un gamin dans une partie de ruelle. Cette œillade amusée et décontractée fut l'une des plus mémorables de l'histoire du hockey. Que signifiait ce geste extravagant ?

Que Roy était suffisant ? Qu'il était au-dessus de ses affaires ? Que la rondelle lui paraissait aussi grosse qu'un couvercle de puisard ? Que les Kings échaudés, qui avaient déjà subi deux défaites éreintantes d'affilée en prolongation aux mains du Canadien et étaient sur le point d'en subir une troisième, pourraient jouer tout leur possible qu'ils n'arriveraient jamais en prolongation à faufiler la rondelle dans son arène ?

Quatre jours plus tard, assis à l'arrière d'une limousine allongée blanche à Montréal, sous escorte policière pour le défilé de la victoire du Canadien qui ne pouvait commen-

cer sans lui, le jeune homme de 27 ans réfléchissait à la question. Il ne se rappelait pas avoir déjà fait un clin d'œil à un adversaire. Surtout pas en prolongation lors des finales de la Coupe Stanley. « Sandstrom est toujours dans mon demi-cercle, il me dérange, il me frappe quand j'ai la rondelle », déclarat-il. « Quand j'ai bloqué Robitaille, Sandstrom m'a frappé. Alors j'ai cligné de l'œil. Je voulais lui montrer de quel bois je me chauffe. Que j'étais au-dessus de la mêlée. »

Au-dessus de la mêlée, dit-il ? C'est comme ça qu'il faut parler des 10 victoires d'affilée en prolongation lors des finales de 1993, un record établi par le Canadien lors de sa course à sa 24ᵉ Coupe Stanley ? Pourquoi pas invincible ? Imprenable ? Ou, comme l'un des partisans l'avait affiché sur une bannière au Forum de Montréal, INC-ROY-HAB-LE ?

Après avoir entamé les finales par une défaite en prolongation du Canadien aux mains des Nordiques de Québec, où Roy fut critiqué pour avoir laissé passer un but facile à la dernière minute afin de forcer la prolongation, Roy fermait tout simplement la porte alors que la victoire était en jeu. Pour la suite des finales, Montréal remporta ses 12 matchs avec un seul but chaque fois. Dans les 10 victoires en prolongation, Roy a joué 96 minutes et 39 secondes sans accorder un seul but, l'équivalent de plus d'un match et demi. Pendant ces séances supplémentaires, il éloigna 65 tirs.

JOHN BIEVER

Au cours d'une carrière qui dura de 1985 à 2003 et lui valut le Temple de la renommée, Roy fut joueur étoile 11 fois et établit des records pour ses victoires en saison régulière et en séries éliminatoires. | *Photo de* DAVID E. KLUTHO

Avec un score de 16–4 et une moyenne de buts contre de 2,13 lors des éliminatoires, Roy expia ce qui avait été pour lui une saison régulière médiocre sous la direction du nouvel entraîneur Jacques Demers, qui avait imposé à Montréal un style plus ouvert que celui auquel le Canadien était habitué. « La chose qui me revient de droit en tant qu'entraîneur, affirma Demers après les éliminatoires, est d'avoir appuyé Patrick. Je ne voulais pas qu'il s'afflige d'avoir laissé passer un but facile contre Québec. Il a été exceptionnel, sensationnel. »

Ce n'était pas la première fois que Roy avait bagué les doigts de ses coéquipiers de Montréal. En 1985–86, sa saison recrue, il mena le Tricolore à la Coupe Stanley, et remporta le trophée Conn-Smythe comme joueur le plus utile des éliminatoires. Mais cette Coupe lui est plus chère que sa première pour plusieurs bonnes raisons, dont la meilleure est d'avoir aidé sa femme Michèle, au lendemain de la défaite du Canadien lors du premier match des finales à Montréal, à accoucher d'une fille de 6 livres 9 onces : Jana.

Le prénom Jana est une combinaison de Jeanne, la grand-mère de Michèle, et Anna, la grand-mère de Patrick. Anna Peacock était une grande partisane du Canadien, contrairement aux Roy, qui prenaient pour l'équipe locale des Nordiques de Québec de l'AMH. Le joueur préféré d'Anna à Montréal était Ken Dryden. Elle écoutait les matchs à la radio pendant que le jeune Patrick mangeait le repas qu'elle lui préparait.

Comme Dryden, Roy avait été sensationnel aux éliminatoires en tant que recrue, menant le Canadien à la Coupe avec une moyenne époustouflante de buts contre de 1,92. Contrairement à Dryden, toutefois, Roy cessa d'inscrire son nom sur la coupe Stanley après cette victoire. C'était encore un joueur imposant et il remporta trois trophées Vézina en tant que meilleur gardien de la LNH et figura dans la première ou deuxième équipe des étoiles au cours des six années suivantes. Mais la perception demeura chez les partisans de Montréal que malgré ces superbes statistiques, Roy laissait passer des buts faciles dans des matchs décisifs, souvent au moment où son équipe avait le plus besoin de lui.

C'est ce qu'on affirmait à son propos lors des éliminatoires de 1992, lorsque le Canadien fut honteusement écarté par les Bruins de Boston dans la deuxième ronde. « Il n'a pas bien joué aux éliminatoires l'année dernière, affirma le directeur-gérant Serge Savard, mais ce n'est pas pour ça qu'on a perdu. C'était toute l'équipe qui était en cause. »

Peu importe. Roy, le meilleur joueur du Canadien, attirait les foudres des Montréalais frustrés qui, depuis 1944, n'avait jamais eu à attendre plus de sept ans avant que leur équipe remporte la Coupe Stanley. Et 1993 déclencha une autre attente de sept ans. Les partisans locaux jadis admiratifs commençaient à vouloir sa peau.

« Les difficultés de Pat cette année étaient nouvelles pour lui, affirma le joueur avant Kirk Muller, le joueur le plus utile du

DE GAUCHE À DROITE : ANTHONY NESTE; DAVID E. KLUTHO (4)

La recrue prend un repos bien mérité (à gauche) lors de la course à la Coupe de 1986. Sa carrière eut son lot de hauts et de bas, mais en 1993, Roy réussit à vaincre Joe Sakic et les Nordiques avant de remporter son deuxième trophée Conn-Smythe (à l'extrême droite) la même semaine où sa fille Jana naissait.

Canadien après Roy. Évidemment, les Montréalais ont de grandes attentes, et il ne peut jamais vraiment jouer une mauvaise partie. Mais je pense que ces difficultés l'ont rendu meilleur. »

Lorsque le Canadien céda les deux premiers matchs à Québec dans les demi-finales de la division Adams, Demers résista aux appels de commencer le 3ᵉ match avec le gardien remplaçant André Racicot, et demeura fidèle à sa promesse faite avant la saison de soutenir Roy jusqu'à la fin. Toujours aussi superstitieux, Roy estima qu'il était temps que sa chance tourne. Il changea l'ordre dans lequel il contournait les cercles de mise au jeu avant le réchauffement, un rituel qu'il avait fidèlement exécuté depuis sept ans. Quand les Nordiques se préparaient au Forum de Montréal, il les regardait jouer du même siège : B-07. (Après la naissance de Jana, Roy prenait place au J-2 à Los Angeles en l'honneur de l'anniversaire de Jana le 2 juin.)

La magie opéra et le Canadien et Roy alignèrent 11 victoires éliminatoires consécutives, égalisant le record établi. Sept victoires eurent lieu en prolongation, dont deux victoires marathon aux dépens des Islanders de New York dans lesquelles Roy déjoua Benoît Hogue et Pierre Turgeon sur des échappées lors de matchs consécutifs en prolongation.

À mesure qu'avançaient les éliminatoires, le Canadien donnait l'impression de chercher la prolongation, enfilant à répétition la rondelle dans les 10 dernières minutes de la troisième période,

puis laissant l'attaque s'en donner à cœur joie dans la période supplémentaire. « Ça ne nous dérangeait pas d'aller en prolongation, déclara Roy. Je savais que mes coéquipiers allaient marquer si je leur donnais du temps. Ma concentration était à son maximum. Mon esprit était entièrement là. Je me sentais dispos, comme si je pouvais tout arrêter. »

Dispos ? N'importe quel autre nouveau père qui assiste à un accouchement naturel a envie de rentrer chez lui et de dormir pendant 40 jours. Mais voilà que, à la fin de la plus longue saison de hockey de l'histoire, Roy, qui faisait la navette entre Los Angeles et Montréal, des villes séparées par 2 500 milles, et jouait dans les finales de la Coupe Stanley, racontait combien il se sentait merveilleusement reposé. Et faisait des clins d'œil à l'équipe adverse pour le prouver. Fatigué, Tomas ? Pas moi.

Sa présence dans les buts semblait miner l'énergie des Kings autant qu'elle soutenait le Canadien, qui joua de mieux en mieux à mesure que les finales avançaient. « Quand Patrick Roy fait une promesse, il la tient » affirma l'avant de Montréal, Mike Keane, lorsque le Canadien, question de rétablir la justice historique, rentra avec la 24ᵉ Coupe Stanley en remportant le 5ᵉ match 4–1 à Montréal. « Ce n'est pas un gars qui s'exprime haut et fort, mais il a dit qu'il fermerait la porte ce soir, et c'est ce qu'il a fait. »

En un clin d'œil. ☐

Tiré de SPORTS ILLUSTRATED, *21 juin 1993*

100

GALERIE

UNE DIGNE FINALE

Faire ses adieux au Forum après avoir remporté deux autres Coupes Stanley

Les fantômes du Forum étaient aux aguets en haut des combles le 11 mars 1996, de la mise au jeu du départ (à gauche) jusqu'à la victoire 4–1 du Canadien contre les Stars pour le 2 636ᵉ et dernier match dans l'aréna.

Pierre Turgeon mena ses coéquipiers dans une procession au flambeau (à droite) avant qu'on éteigne les lumières pour la dernière fois au Forum.

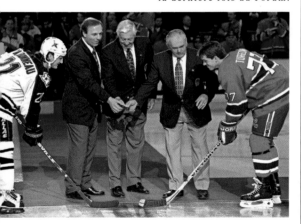

Le dernier match au Forum vit le retour de nombreuses vedettes de Montréal, dont, à gauche, l'ancien joueur du Canadien (jouant à l'époque pour les Stars de Dallas) Guy Carbonneau, Guy Lafleur, Jean Béliveau, Maurice Richard et Turgeon.

À titre de jeune joueur du Canadien,
Rod Langway (17) avait l'allure d'un futur
gagnant du trophée Norris (1983, 1984).

Naslund, le premier joueur de
Montréal originaire d'Europe
(se dégageant des Flyers) et
Carbonneau (dans la mise au
jeu contre Mario Lemieux)
menèrent le Canadien à deux
doigts de la Coupe de 1989.

Le défenseur Rick Green (5) bloqua un tir
de Hakan Loob de Calgary lors de la finale
de la Coupe Stanley de 1986, remportée
par Montréal en cinq matchs.

L'ÉQUIPE DES MEILLEURS JOUEURS DE L'ÉPOQUE

STÉPHANE RICHER
AILIER DROIT, 1984-91, 1996-98 | À l'aide de son lancer frappé à toute épreuve, Richer devint l'un des plus prolifiques marqueurs de l'histoire de l'équipe, enfilant la rondelle 225 fois en 490 matchs. En 1987-88, il compta 50 buts et bonifia ce chiffre de un but en 1989-90, devenant le deuxième Canadien, après Guy Lafleur, à compter 50 buts ou plus en deux saisons.

GUY CARBONNEAU
CENTRE, 1980-81, 1982-94 | Même s'il ne compta jamais plus de 26 buts en une saison, Carbonneau était particulièrement utile pour le CH à la défense, remportant trois fois le trophée Selke. Un des joueurs les plus populaires de l'histoire de l'équipe, il servit comme capitaine pendant cinq saisons.

MATS NASLUND
AILIER GAUCHE, 1982-90 | Le premier Européen à enfiler le Bleu-Blanc-Rouge, Naslund avait une grande habileté pour préparer le jeu. Il établit un record de la LNH pour les passes d'un ailier gauche en 1985-86. En plus, le *Petit Viking* compta 43 buts lors de cette saison, et il est à ce jour le dernier joueur du Canadien à atteindre la marque de 100 au pointage, avec 110 points.

LARRY ROBINSON
DÉFENSEUR, 1972-89 | Avec sa stature de 6 pi 4 po et sa chevelure ondoyante, *Big Bird* patrouilla la ligne bleue de Montréal pendant 17 saisons, dont six se soldèrent par une coupe Stanley pour le Canadien. De toute l'histoire du club, c'est le meneur en tant que défenseur pour les matchs joués (1 202), buts (197), passes (686), points (883) et plus/moins (+700).

CHRIS CHELIOS
DÉFENSEUR, 1983-90 | Aucun défenseur de Montréal ne fut une arme offensive aussi efficace que l'implacable Chelios, qui cumula une moyenne de 0,77 points par match en 402 matchs. En sept saisons à peine avec le Canadien, Chelios faillit tout rafler, remportant la Coupe Stanley et un trophée Norris et terminant deuxième après Mario Lemieux pour le trophée Calder.

PATRICK ROY
GARDIEN, 1985-96 | *Saint-Patrick* eut un impact immédiat sur la LNH en menant le Canadien sur le sentier magique de la Coupe Stanley et remporta le trophée Conn-Smythe en 1986 en tant que recrue de 20 ans. Après avoir remporté le trophée Vézina en 1989 et 1990, Roy mena de nouveau le Canadien au paradis du hockey en 1993 tout en remportant un deuxième trophée Conn-Smythe.

Quand il n'était pas en train de faire tomber des joueurs des Kings, John LeClair (17) comptait deux buts en prolongation pour aider à démarrer la parade de la 24ᵉ Coupe Stanley.

Les arbitres pénalisèrent les Kings en raison de la courbure illégale du bâton de Marty McSorley (ci-dessus), et Éric Desjardins profita de l'occasion pour décocher le tir gagnant contre Kelly Hrudey (ci-dessous) lors du deuxième match de la finale de la Coupe Stanley de 1993.

Tomas Plekanec (ici comptant un but contre les Bruins lors des éliminatoires de 2008) fait partie de la quête pour la première Coupe du deuxième siècle du Canadien.

LES ANNÉES 2000
ET AU-DELÀ

100

LA NOUVELLE RACE

PAR BRIAN CAZENEUVE

O N PEUT CONSIDÉRER SAKU KOIVU ET ses coéquipiers comme les gardiens de la culture. Même aujourd'hui, longtemps après que la LNH à six équipes a cédé la place à une échauffourée à 30 équipes, et que les partisans sont censés croire que Dallas, Tampa Bay et la Caroline du Nord sont des creusets de talent parce que leurs jeunes équipes ont remporté une Coupe Stanley, la franchise porte-drapeau de la LNH est aussi pertinente que jamais. « On prend la mesure du jeu par ce que le Canadien réussit à faire », affirme Koivu, le capitaine de Montréal. « C'est une chose à propos de ce jeu qui ne changera jamais, peu importe qui enfile le chandail et en quelle année nous sommes. »

Cette année, bien entendu, la pertinence s'est accrue en même temps que l'excitation, entre autres parce que la LNH a décidé d'accorder le Match des étoiles à la ville en janvier et le repêchage en juin. Cette année, la franchise au long passé lève son chapeau et ses bâtons. Grâce à l'astucieuse prévoyance du directeur-gérant Bob Gainey — qui commença son programme quinquennal de reconstruction lorsqu'il prit les rênes il y a cinq ans —, c'est une équipe avec un brillant avenir. Et aujourd'hui, après un hiatus de 16 ans sans Coupe, le plus long dans l'histoire de la franchise, la pression pour gagner un titre et rivaliser avec le caractère flamboyant de l'anniversaire est intense.

« On ne peut pas s'emballer avec les célébrations au point d'oublier les buts qu'on s'est fixés », affirme Koivu.

Ces buts sont devenus plus nettement définis après la saison de 2007–08 où Montréal obtint 104 points pour se classer en première place de la Conférence de l'Est, une performance suivie d'une victoire en première ronde des éliminatoires, la première depuis la fin des lockouts. La version moderne des *Flying Frenchmen* compta 257 buts dans l'année, un de moins qu'Ottawa, le meneur de la ligue. Rapide et habile, le CH mena la ligue en buts à l'étranger (130) et en jeu de puissance (90), tout en accordant seulement trois buts en infériorité numérique, le plus bas niveau de la ligue. L'ailier droit Alex Kovalev, 35 ans, fit savoir qu'il était encore une menace redoutable, marquant 35 buts dont 17 en avantage numérique, un record en carrière. Le centre Tomas Plekanec, 26 ans, ajouta 29 buts et les ailiers Chris Higgins, 25 ans, et Andrei Kostitsyn, 23 ans, marquèrent respectivement 27 et 26 buts. L'équipe mania le jeu offensif avec un brio qu'on ne lui connaissait plus depuis l'époque où Jacques Lemaire refilait des passes arrière à Guy Lafleur; ironiquement, cette renaissance passa inaperçue aux yeux de Gainey et de l'entraîneur Guy Carbonneau, jadis deux des attaquants défensifs les plus imposants du jeu.

En menant la renaissance du Canadien lors de la dernière saison, Koivu devint le deuxième capitaine qui régna le plus longtemps dans l'histoire du Tricolore. | *Photo de* ELIOT J. SCHECHTER/NHLI/GETTY IMAGES

DAVE SANDFORD/NHLI/GETTY IMAGES

Gainey a solidifié son jeu offensif cette année, cédant des choix au repêchage pour s'adjoindre Robert Lang de Chicago et le Québécois d'origine Alex Tanguay de Calgary. Gainey a également signé un contrat de 3 ans qui s'élève à 4,5 millions $ avec Georges Laraque, le champion poids lourd en titre de la ligue et natif de Montréal. « C'est la réalisation d'un rêve pour moi de rentrer au bercail », affirme Laraque, un coéquipier populaire partout où il joue, dont le contrat marque un départ par rapport aux déclarations passées de Gainey et Carbonneau selon lesquelles l'équipe n'avait pas besoin d'un « videur ». Le Canadien manqua de muscles en postsaison, à la fois lors de son triomphe en 7 matchs contre les Bruins de Boston et sa défaite en 5 matchs aux dépens des Flyers de Philadelphie. Carbonneau, qui n'était pas bagarreur mais qui a toujours joué plus costaud que sa taille réelle, avait mis l'accent sur une sorte d'acharnement collectif, une formule qui sera beaucoup plus facile à mettre en pratique maintenant que Laraque a l'appui de ses coéquipiers.

L'acharnement peut bien sûr être mesuré d'autres façons : le défenseur hors pair Mike Komisarek est un bloqueur de tirs intrépide (il mena la LNH en 2007–08 avec un total de 277), et son partenaire sur la ligne bleue Roman Hamrlik (187, quatrième dans la ligue) fait preuve d'un courage semblable. Le jumelage de Komisarek avec le joueur arrière fiable et polyvalent Andrei Markov est devenu l'un des tandems plutôt efficaces de la ligue.

Le Tricolore a le sentiment qu'il a trouvé son gardien pour maintenant et pour l'avenir, même si à 21 ans, Carey Price, le cinquième choix au repêchage de 2005, doit démontrer qu'il est suffisamment cuirassé pour performer sous la loupe de la post-saison. Lors de la dernière saison, Price mena les gardiens recrues en victoires (24) et en pourcentage d'arrêts (.920) et engrangea trois blanchissages avant de laisser passer quelques buts par négligence lors des séries éliminatoires. Carbonneau joua avec la confiance de son jeune joueur en le remplaçant par Jaroslav Halek lors du 4e match contre Philadelphie. « Je comprends sa décision », déclara Price, « mais évidemment c'est à ce moment-là qu'on veut y être le plus. C'est là qu'on veut que les gars dans la salle nous fassent confiance. »

Pendant plus d'une décennie, le Canadien s'est fié sur Koivu pour piloter l'équipe, comme il a déjà misé sur des leaders tels Maurice Richard et Jean Béliveau. Après avoir été repêché par Montréal comme choix n° 21 au repêchage de 1993, Koivu joua une saison dans sa Finlande natale, où il fut nommé joueur national de l'année, avant d'arriver à Montréal en 1995 à l'âge de 20 ans. Le centre de 5 pi 10 po et 187 livres — tout au plus — eut l'effet d'une étincelle : rapide, fuyant, malin et d'une puissance surprenante avec la rondelle. Même si parfois il la gardait trop longtemps, il la perdait rarement, et son jeu évasif a fait de lui un des meilleurs du jeu pour attirer les pénalités. Son cran et sa détermination en sont venus à définir le nouveau Canadien aussi clairement que Guy Lafleur avait symbolisé les *Flying Frenchmen*. Le 30 septembre

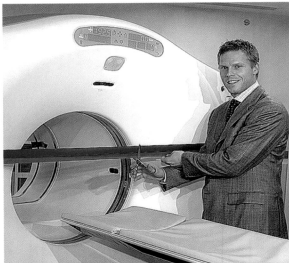

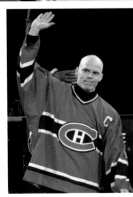

Depuis sa bataille contre le cancer commencée en 2001, (à droite), Koivu est un donateur de l'Hôpital général de Montréal (ci-dessus) où il fut traité. Ces jours-ci, des adversaires comme les Devils, les Rangers, les Flyers et les Maple Leafs — rivaux depuis toujours — savent de première main pourquoi le redoutable centre est si aimé par les partisans.

1999, Koivu devint le 27ᵉ capitaine de l'équipe, le premier Européen à recevoir cet honneur. Il détient maintenant la deuxième place pour le plus long règne en tant que capitaine de l'équipe, après Béliveau qui arbora le « C » de 1961–62 à 1970–71.

Le dynamisme d'un homme qui a toujours joué — et joue encore — plus grand que sa taille fut testé en septembre 2001. Koivu rentrait de Helsinki pour rejoindre le Canadien en camp d'entraînement quand il commença à vomir et à ressentir de vives douleurs à l'estomac et à la tête. Après un examen médical à Montréal, Koivu, alors âgé de 26 ans, apprit qu'il souffrait d'un lymphome non hodgkinien. Le capitaine commença des traitements de chimiothérapie qui durèrent sept mois. Il consulta Mario Lemieux pour savoir comment combattre la maladie et endurer les traitements, et comment surmonter la perte de poids, de cheveux et de force. La maladie mit Koivu sur le carreau pendant presque toute la saison, mais il fit un retour émouvant pour l'avant-dernier match à domicile de l'équipe en avril. Il reçut une ovation de huit minutes. Même les adversaires de la soirée, les Sénateurs, frappèrent leurs bâtons sur la glace en signe d'appui.

Lors des séries éliminatoires de 2002, Koivu contribua à propulser le Canadien par-devant les Bruins, et cet été-là, il remporta le trophée Bill-Masterton de la LNH pour son dévouement au jeu. La saison suivante, il compta un record en carrière de 71 points.

Cette bataille ne fut pas sa dernière. En 2006, Koivu faillit perdre la vue quand un coup de bâton de Justin Williams de la Caroline du Nord l'atteignit à l'œil gauche. Même après une chirurgie pour recoller la rétine, Koivu souffre encore d'une perte partielle de la vision périphérique. Il contribua néanmoins à 40 passes et 16 buts la dernière saison, et cumula neuf points en sept matchs éliminatoires.

À 34 ans et dans la dernière année d'un contrat de trois ans, Koivu demeure un élément vital du Canadien, qui compte huit joueurs en tout — dont Komisarek et Kovalev — en passe de devenir des joueurs autonomes à la fin de la saison. Et pourtant, l'équipe possède un noyau dur et assez de jeunes talents pour revigorer un optimisme absent depuis longtemps à Montréal. Peu importe que le Tricolore se soit absenté de la finale de la Conférence depuis leur course pour la Coupe en 1993. Peu importe que la victoire aujourd'hui, dans une ligue gonflée régie par la parité, soit beaucoup plus ardue que dans les belles années de la Sainte Flanelle. Peu importe la limite imposée sur les salaires qui contrecarre les plans pour retenir les meilleurs joueurs pendant de nombreuses années. « Les partisans de Montréal n'accepteront pas d'excuses, affirme Gainey. Ils savent combien de Coupes Stanley ont été remportées ici, et ils anticipent la prochaine. »

C'est une franchise au passé rempli d'événements marquants et bien d'autres à sa portée — la 20ᵉ victoire en saison régulière cette année représentera la 3000ᵉ de son histoire. Un 25ᵉ championnat, bien entendu, est la date marquante qui importe le plus. ☐

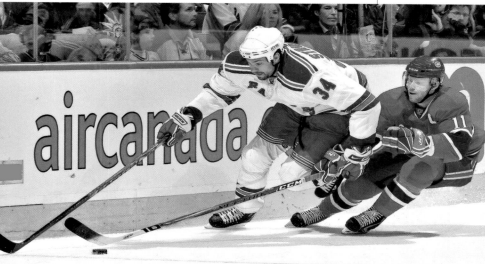

LA PROCHAINE GÉNÉRATION

De jeunes vedettes et des vétérans chevronnés sont fin prêts pour rétablir la gloire de Montréal

Un Alexei Kovalev (27) rajeuni marqua 84 points en 2007–08, le deuxième meilleur score de sa carrière. Repêché par le Canadien en 1994, Théodore (à droite) remporta les trophées Vézina et Hart en 2002.

L'ailier droit Ryder (73) compta 99 buts en saison régulière et trois buts en séries éliminatoires en quatre saisons avec le Canadien.

Avec l'aide d'un sosie de Ken Dryden, Higgins (deuxième à droite) célébra son but contre les Panthers le 13 février 2008.

L'ÉQUIPE DES MEILLEURS JOUEURS DE L'ÉPOQUE

MICHAEL RYDER

AILIER DROIT, 2003-08 | Lors de ses quatre saisons avec Montréal, Ryder engrangea 207 points, et ses 99 buts l'ont alors hissé au premier rang de l'équipe à l'époque. Ryder était à son meilleur en jeu de puissance et fut le premier joueur dans l'histoire de l'équipe à compter 10 buts ou plus en avantage numérique dans chacune de ses trois premières saisons.

SAKU KOIVU

CENTRE, 1995- | Le premier capitaine européen des Canadiens mène actuellement l'équipe en buts (175), passes (416) et points (591). Après avoir raté 79 matchs en saison régulière en raison d'un lymphome non hodgkinien en 2001-02, Koivu joua les 12 matchs de la postsaison pour le Tricolore, arrivant en tête du pointage *ex æquo* pour l'équipe avec 10 points et remportant le trophée Bill-Masterton pour sa persévérance.

CHRISTOPHER HIGGINS

AILIER GAUCHE, 2003- | Partageant son temps entre l'aile gauche et le centre, l'ancienne vedette de Yale et premier choix en première ronde au repêchage, compta 20 buts ou plus dans chacune de ses saisons complètes en tant que pro, établissant des records en carrière pour les buts (27) et les points (52) en 2007-08.

PATRICE BRISEBOIS

DÉFENSEUR, 1990-04, 2007- | Brisebois en est à son deuxième séjour avec Montréal et se place au rang des six meilleurs défenseurs de l'équipe en matchs joués, tirs, buts, passes et points. C'est une valeur sûre du jeu de puissance, car il compte 37 buts en avantage numérique, en troisième place pour le CH depuis que cette statistique est officiellement compilée (quatre décennies).

ANDREI MARKOV

DÉFENSEUR, 2000- | L'actuel homme fort de Montréal commença la saison 2008-09 après une série de 128 matchs consécutifs. Il mena l'équipe en temps sur la glace lors des deux dernières saisons, avec en moyenne près de 25 minutes par match. La saison dernière, il était au premier rang *ex æquo* des buts en jeu de puissance pour un défenseur et fut nommé partant pour le Match des étoiles.

JOSÉ THÉODORE

GARDIEN, 1995-2006 | Sur neuf saisons partielles, Théodore remporta 141 matchs pour Montréal, dont 23 blanchissages, ce qui le place au septième rang de tous les temps de l'histoire de l'équipe pour les deux catégories. Lors de sa meilleure saison en 2001-02, il remporta les trophées Vézina et Hart.

Statistiques de la saison 2007-08.

Higgins, 25 ans, s'en prenant à Mats Sundin des Leafs, ajoute un peu de piquant offensif au CH.

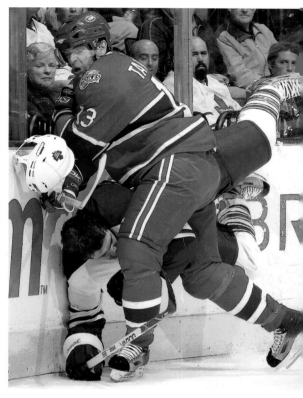

Le joueur avant Alex Tanguay, qui remporta la Coupe avec Colorado en 2001, se joint au Canadien cette saison.

Apprécié par les partisans, Brisebois retourna à Montréal en 2007 et est maintenant en cinquième place pour le nombre de matchs joués par un défenseur avec le Canadien.

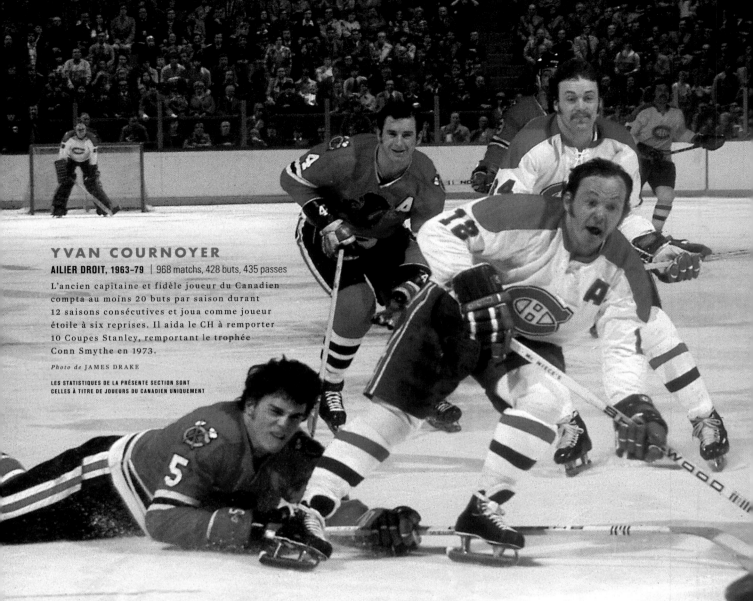

YVAN COURNOYER
AILIER DROIT, 1963-79 | 968 matchs, 428 buts, 435 passes

L'ancien capitaine et fidèle joueur du Canadien compta au moins 20 buts par saison durant 12 saisons consécutives et joua comme joueur étoile à six reprises. Il aida le CH à remporter 10 Coupes Stanley, remportant le trophée Conn Smythe en 1973.

Photo de JAMES DRAKE

LES STATISTIQUES DE LA PRÉSENTE SECTION SONT CELLES À TITRE DE JOUEURS DU CANADIEN UNIQUEMENT

LES PLUS GRANDS JOUEURS DU CAN

PAR DAVID SABINO

HOWIE MORENZ

CENTRE, 1923-34, 1936-37 | 460 matchs, 257 buts, 160 passes

Quand Morenz (à gauche) signa avec Montréal pour la première fois, il envoya une lettre au propriétaire du Canadien, Léo Dandurand, expliquant qu'il n'était pas assez bon. Par la suite, il fut nommé joueur le plus utile à trois reprises, mena la ligue en termes de buts en carrière et devint membre du Temple de la renommée.

AURÈLE JOLIAT

AILIER GAUCHE, 1922-38 | 644 matchs, 270 buts, 190 passes

L'ancien joueur de football des Rough Riders d'Ottawa ne mesurait que 5 pi 6 po et pesait 135 livres mais il était coriace, menant la ligue en matchs joués à cinq reprises. Il fut intronisé au Temple de la renommée après avoir compté au moins 10 buts par saison durant 15 saisons consécutives.

Photo de IHA/ICON SMI

L'ÉQUIPE DE TOUS LES TEMPS

AILIERS DROITS

MAURICE RICHARD | 1942-60
Le *Rocket* se classe toujours au premier rang des compteurs de Montréal (544) près de 50 ans après son dernier match.

GUY LAFLEUR | 1971-85
Le meilleur compteur de l'histoire de l'équipe fut repêché grâce à un premier choix au repêchage des Seals d'Oakland.

BERNARD GEOFFRION | 1950-64
En 1960-61 *Boum Boum* se joignit à Richard et devint le deuxième joueur de la LNH à atteindre 50 buts en une saison.

YVAN COURNOYER | 1963-79
Le *Roadrunner* joua dans l'équipe gagnante de la Coupe au cours de 10 de ses 16 saisons.

CENTRES

JEAN BÉLIVEAU | 1950-51, 1952-71
Ses 10 saisons à titre de capitaine du Canadien (1961-71) représentent le plus long règne de l'histoire de l'équipe.

HOWIE MORENZ | 1923-34, 1936-37
La première vedette du hockey décéda de complications après une blessure à la jambe subie lors d'un match.

HENRI RICHARD | 1955-75
D'après la légende, *Pocket Rocket* se rendit au camp du CH simplement pour narguer son frère Maurice.

ELMER LACH | 1940-54
Lach fut nommé joueur le plus utile de la ligue la saison où son coéquipier de trio Richard compta 50 buts en 50 matchs.

AILIERS GAUCHES

DICKIE MOORE | 1951-63
Ce joueur remporta le trophée Art-Ross à deux reprises et établit le record de la ligue avec 96 points en 1958-59.

JOE MALONE | 1917-19, 1922-24
Phantom Joe compta 44 buts en seulement 20 matchs lors de la première saison du Tricolore dans la LNH.

AURÈLE JOLIAT | 1922-38
Le *Mighty Atom* eut l'honneur d'avoir son numéro 4 retiré pour lui et Béliveau.

BOB GAINEY | 1973-89
Gainey remporta le trophée Selke en tant que meilleur joueur avant défensif pendant les quatre premières années du prix.

DÉFENSEURS

DOUG HARVEY | 1947-61
Le membre du Temple de la renommée raffina son maniement du bâton et ses passes en tant que jeune centre.

LARRY ROBINSON | 1972-89
Big Bird termina sa carrière avec une fiche plus-moins de +700 en 17 saisons avec le Canadien.

SERGE SAVARD | 1966-81
L'extraordinaire rempart compta quatre buts lors des séries éliminatoires de la Coupe Stanley en 1969.

GUY LAPOINTE | 1968-82
Les 28 buts de Lapointe en 1974-75 représentent un record pour un défenseur de Montréal.

TOM JOHNSON | 1947-48, 1949-63
Son jeu défensif fut essentiel lors des cinq Coupes Stanley consécutives remportées par Montréal en 1956-60.

JACQUES LAPERRIÈRE | 1962-74
Ce solide joueur d'avant-garde et membre du Temple de la renommée laissa à d'autres le soin de compter et de briller.

J.C. TREMBLAY | 1959-72
Son score combiné de 21 points le plaça au deuxième rang pour le CH lors des séries éliminatoires de 1965 et 1966.

GARDIENS

JACQUES PLANTE | 1952-63
Six de ses sept trophées Vézina en carrière de Plante proviennent de son séjour avec le Canadien.

PATRICK ROY | 1984-96
Roy remporta le Vézina et fut également nommé à la première équipe d'étoiles en 1989, 1990 et 1992.

KEN DRYDEN | 1970-73, 1974-79
Son pourcentage de victoires de .758 (258-57-74) est un record pour les gardiens de la LNH.

GEORGES VÉZINA | 1910-26
Un des 12 premiers membres du Temple de la renommée, intronisé en 1945.

ENTRAÎNEURS

TOE BLAKE | 1955-68
Le CH remporta la Coupe lors de ses cinq premières saisons et huit de ses 13 saisons derrière le banc.

DICK IRVIN | 1940-55
Irvin érigea les fondations de la dynastie du Canadien d'après-guerre.

SCOTTY BOWMAN | 1971-79
Le natif de Montréal mena son équipe locale au titre dans cinq de ses huit saisons.

LARRY ROBINSON

DÉFENSEUR, 1972–89 | 1 202 matchs, 197 buts, 686 passes

Aucun défenseur de Montréal ne joua autant de matchs ní ne compta autant de points que Robinson (à l'extrême gauche), qui fut membre de six équipes gagnantes du titre de la Coupe Stanley. Il remporta le trophée Norris en tant que défenseur exceptionnel de la ligue en 1977 et 1980.

GUY LAPOINTE

DÉFENSEUR, 1968–82 | 777 matchs, 166 buts, 406 passes

Joueur dominant du redoutable jeu de puissance du Canadien des années 1970, Lapointe (à l'extrême droite) fit partie du meilleur trio de défenseurs — aux côtés de Robinson et Serge Savard — jamais réunis au sein d'une même équipe.

Photo de CO RENTMEESTER

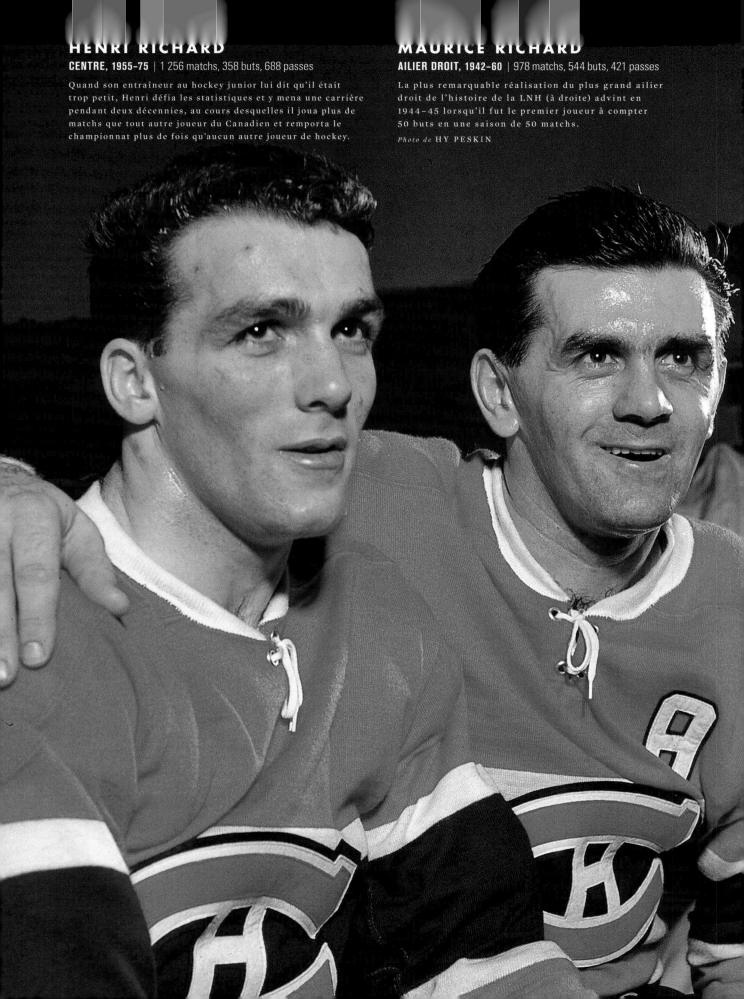

HENRI RICHARD
CENTRE, 1955–75 | 1 256 matchs, 358 buts, 688 passes

Quand son entraîneur au hockey junior lui dit qu'il était
trop petit, Henri défia les statistiques et y mena une carrière
pendant deux décennies, au cours desquelles il joua plus de
matchs que tout autre joueur du Canadien et remporta le
championnat plus de fois qu'aucun autre joueur de hockey.

MAURICE RICHARD
AILIER DROIT, 1942–60 | 978 matchs, 544 buts, 421 passes

La plus remarquable réalisation du plus grand ailier
droit de l'histoire de la LNH (à droite) advint en
1944–45 lorsqu'il fut le premier joueur à compter
50 buts en une saison de 50 matchs.
Photo de HY PESKIN

JEAN BÉLIVEAU

CENTRE, 1950–51, 1952–71 | 1 125 matchs, 507 buts, 712 passes

Au début, Béliveau eut des réticences à jouer pour Montréal,
qui détenait ses droits en tant que pro, parce qu'il était
mieux payé en jouant pour la ligue Senior du Québec.
Pour l'obliger à jouer pour lui, le Tricolore acheta la ligue.

Photo de FRANK PRAZAK/HOCKEY HALL OF FAME

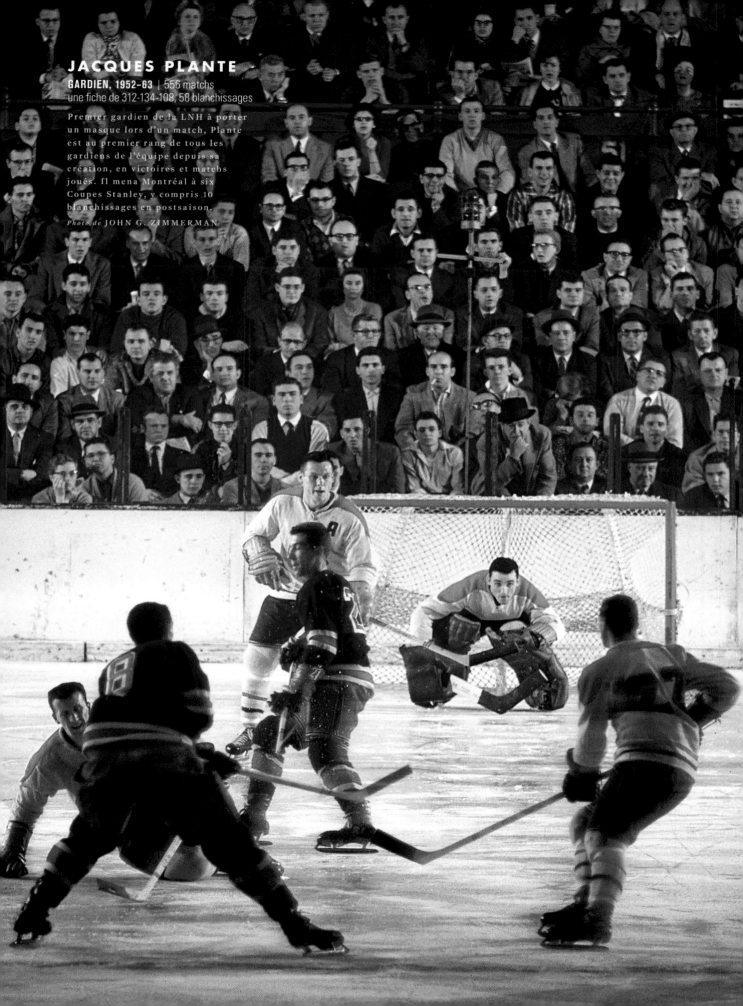

JACQUES PLANTE
GARDIEN, 1952–63 | 556 matchs
une fiche de 312-134-108, 58 blanchissages

Premier gardien de la LNH à porter
un masque lors d'un match, Plante
est au premier rang de tous les
gardiens de l'équipe depuis sa
création, en victoires et matchs
joués. Il mena Montréal à six
Coupes Stanley, y compris 10
blanchissages en postsaison.
Photo de JOHN G. ZIMMERMAN

PATRICK ROY

GARDIEN, 1984–96 | 551 matchs
une fiche de 289-175-66, 29 blanchissages

En tant que recrue, *Saint-Patrick*
mena son équipe à 15 victoires en
séries éliminatoires et à sa première
Coupe Stanley en sept ans, ce qui à
l'époque représentait la deuxième plus
longue disette dans l'histoire du club.

Photo de BILL BALLENBERG

JACQUES LAPERRIÈRE

DÉFENSEUR, 1962-74 | 691 matchs, 40 buts, 242 passes

Modèle en matière d'écran défensif, le récipiendaire du
trophée Calder en 1964 fut la première recrue d'après-
guerre à être nommée à l'équipe d'étoiles de la LNH.
Il poursuivit sa lancée en remportant le trophée Norris
à titre de meilleur défenseur de la ligue en 1966.

Photo de FRANK PRAZAK/HOCKEY HALL OF FAME

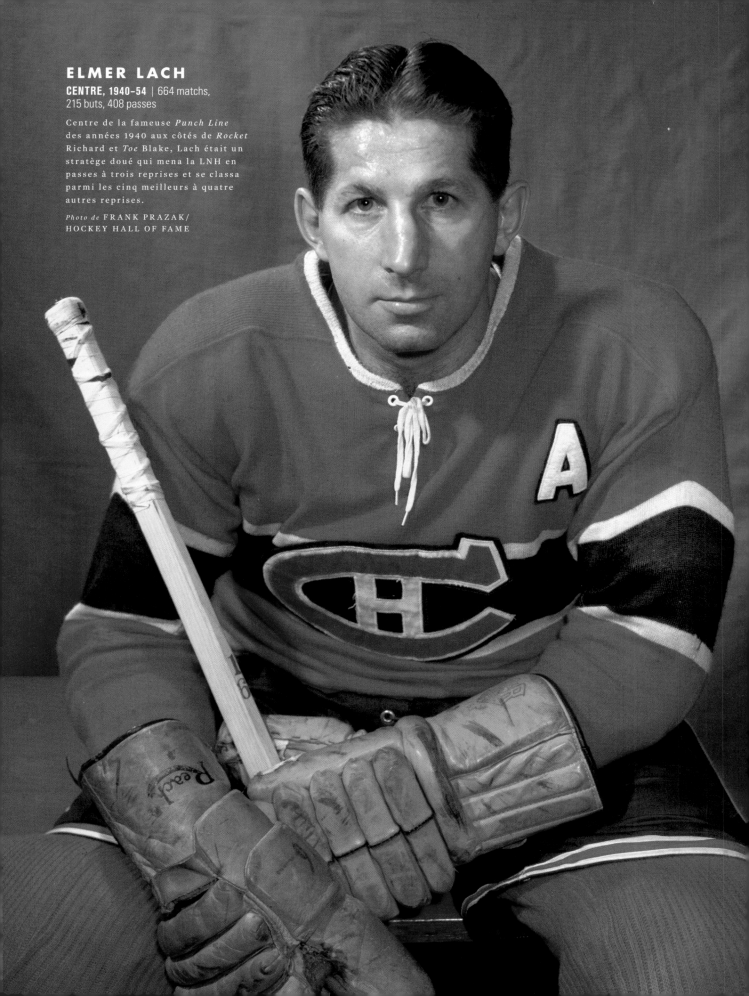

ELMER LACH

CENTRE, 1940–54 | 664 matchs,
215 buts, 408 passes

Centre de la fameuse *Punch Line*
des années 1940 aux côtés de *Rocket*
Richard et *Toe* Blake, Lach était un
stratège doué qui mena la LNH en
passes à trois reprises et se classa
parmi les cinq meilleurs à quatre
autres reprises.

Photo de FRANK PRAZAK/
HOCKEY HALL OF FAME

DOUG HARVEY

DÉFENSEUR, 1947–61 | 890 matchs,
76 buts, 371 passes

Cet ancien combattant de la
Marine lors de la Seconde Guerre
mondiale gardait la ligne bleue de
la façon la plus consciencieuse, et
il remporta sept trophées Norris
et six Coupes Stanley.

Photo de ARCHIVE PHOTOS/
GETTY IMAGES

GUY LAFLEUR

AILIER DROIT, 1971–85 | 961 matchs, 518 buts, 728 passes

Le célèbre numéro 10 est le meneur du Canadien
pour les passes et les points. Pendant trois saisons
d'affilée, il reçut de ses pairs le trophée Lester B.
Pearson à titre de meilleur joueur de la LNH.

Photo de JOHN IACONO

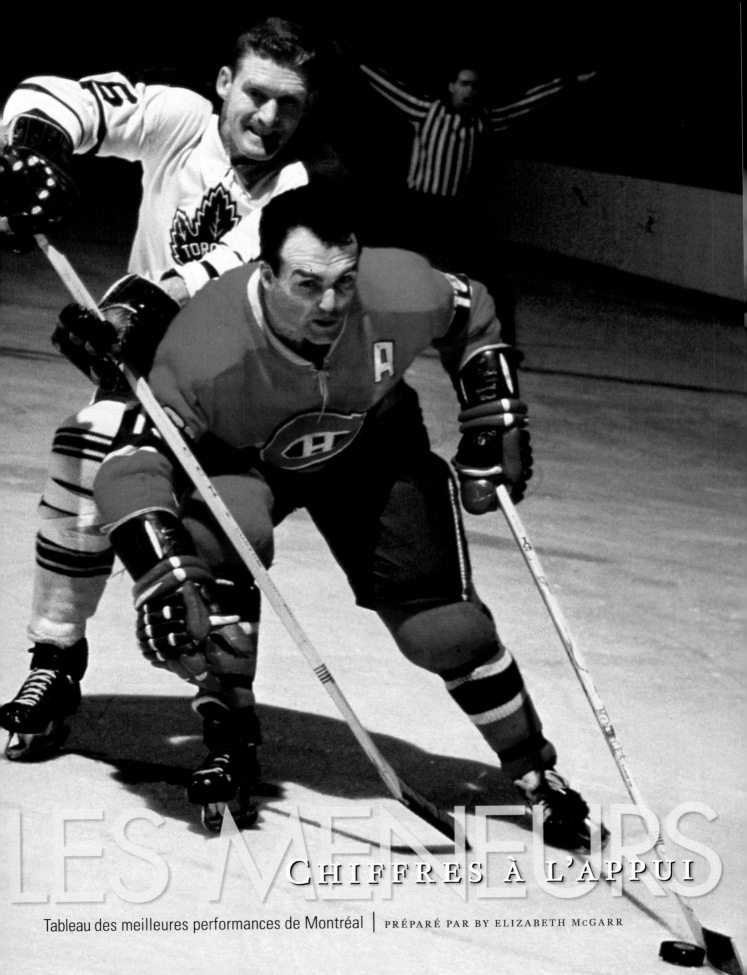

LES MENEURS
CHIFFRES À L'APPUI

Tableau des meilleures performances de Montréal | PRÉPARÉ PAR BY ELIZABETH MCGARR

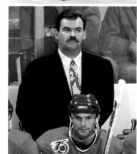

BUTS

544	MAURICE RICHARD	1942–60
518	GUY LAFLEUR	1971–85
507	JEAN BÉLIVEAU	1950–51, 1952–71
428	YVAN COURNOYER	1963–79
408	STEVE SHUTT	1972–85
371	BERNARD GEOFFRION	1950–64
366	JACQUES LEMAIRE	1967–79
358	HENRI RICHARD	1955–75
270	AURÈLE JOLIAT	1922–38
258	MARIO TREMBLAY	1974–86

PASSES

728	GUY LAFLEUR	1971–85
712	JEAN BÉLIVEAU	1950–51, 1952–71
688	HENRI RICHARD	1955–75
686	LARRY ROBINSON	1972–89
469	JACQUES LEMAIRE	1967–79
435	YVAN COURNOYER	1963–79
421	MAURICE RICHARD	1942–60
416	SAKU KOIVU	1995–
408	ELMER LACH	1940–54

POINTS

1 246	GUY LAFLEUR	1971–85
1 219	JEAN BÉLIVEAU	1950–51, 1952–71
1 046	HENRI RICHARD	1955–75
965	MAURICE RICHARD	1942–60
883	LARRY ROBINSON	1972–89
863	YVAN COURNOYER	1963–79
835	JACQUES LEMAIRE	1967–79
776	STEVE SHUTT	1972–85
759	BERNARD GEOFFRION	1950–64

SAISONS

20	HENRI RICHARD	1955–75
18	MAURICE RICHARD	1942–60
18	JEAN BÉLIVEAU	1950–51, 1952–71
17	LARRY ROBINSON	1972–89
16	AURÈLE JOLIAT	1922–38
16	BOB GAINEY	1973–89

SAISONS À 50 BUTS

6	GUY LAFLEUR	1971–85
2	STÉPHANE RICHER	1984–91, 1996–98
1	MAURICE RICHARD	1942–60
1	BERNARD GEOFFRION	1950–64
1	STEVE SHUTT	1972–85
1	PIERRE LAROUCHE	1977–82

SAISONS À 100 POINTS

6	GUY LAFLEUR	1971–85
2	PETER MAHOVLICH	1969–78
1	STEVE SHUTT	1972–85
1	MATS NASLUND	1982–90

Pocket Rocket est le meneur du club en termes de matchs et de saisons joués.

LE PLUS DE POINTS EN UN MATCH

8	MAURICE RICHARD	28 décembre 1944
8	BERT OLMSTEAD	9 janvier 1954
7	NEWSY LALONDE	11 janvier 1919
7	JEAN BÉLIVEAU	7 mars 1959
7	YVAN COURNOYER	15 février 1975
7	STÉPHANE RICHER	14 février 1990

MATCHS

1 256	HENRI RICHARD	1955–75
1 202	LARRY ROBINSON	1972–89
1 160	BOB GAINEY	1973–89
1 125	JEAN BÉLIVEAU	1950–51, 1952–71
1 005	CLAUDE PROVOST	1955–70

MINUTES DE PÉNALITÉS

2 248	CHRIS NILAN	1979–88, 1991–92
1 367	LYLE ODELEIN	1989–96
1 341	SHAYNE CORSON	1985–92, 1996–2000
1 285	MAURICE RICHARD	1942–60
1 214	JOHN FERGUSON	1963–71

GARDIENS — MATCHS JOUÉS

556	JACQUES PLANTE	1952–63
551	PATRICK ROY	1984–96
397	KEN DRYDEN	1970–73, 1974–79
383	BILL DURNAN	1943–50
353	JOSÉ THÉODORE	1995–2006

GARDIENS — VICTOIRES

312	JACQUES PLANTE	1952–63
289	PATRICK ROY	1984–96
258	KEN DRYDEN	1970–73, 1974–79
208	BILL DURNAN	1943–50
167	GEORGE HAINSWORTH	1926–33, 1936–37
144	MICHEL LAROCQUE	1973–81

GARDIENS — BLANCHISSAGES

75	GEORGE HAINSWORTH	1926–33, 1936–37
58	JACQUES PLANTE	1952–63
46	KEN DRYDEN	1970–73, 1974–79
34	BILL DURNAN	1943–50
29	PATRICK ROY	1984–96

MOYENNE DE BUTS ALLOUÉS
(MIN. 100 MATCHS JOUÉS)

1,78	GEORGE HAINSWORTH	1926–33, 1936–37
2,23	JACQUES PLANTE	1952–63
2,24	KEN DRYDEN	1970–73, 1974–79
2,36	BILL DURNAN	1943–50
2,36	GERRY MCNEIL	1947–48, 1949–54, 1956–57

ENTRAÎNEURS — VICTOIRES EN CARRIÈRE

500	*TOE* BLAKE	1955–68
431	DICK IRVIN	1940–55
419	SCOTTY BOWMAN	1971–79
174	PAT BURNS	1988–92
148	CECIL HART	1926–32
126	JEAN PERRON	1985–88

LE TRICOLORE DANS LES MANCHETTES

Cent ans et 24 Coupes, dans les pages de SPORTS ILLUSTRATED | PRÉPARÉ PAR ADAM DUERSON

L EST PEUT-ÊTRE DIFFICILE POUR UN PARTISAN DE TOUTE AUTRE ÉQUIPE DE LA LNH D'APPRÉCIER À SA JUSTE valeur les hauts et les bas de l'histoire centenaire du Canadien de Montréal : les quatre saisons au cours des années 1970 où le Canadien n'a pas tout raflé, les sombres années 1940 où il ne remporta que deux Coupes. . . Nous allons nous attarder sur les bons coups; il y en a eu beaucoup, comme le prouvent ces pages couverture de SI.

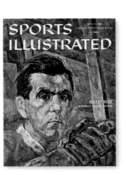

17 FÉVRIER 1958
Avec Plante dans le filet, le Tricolore est dur à battre.

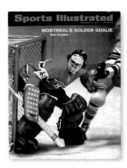

21 MARS 1960
La fin de la partie pour le *Rocket* — et pour la course à la Coupe.

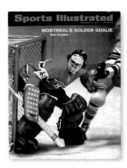

14 FÉVRIER 1972
Ken Dryden fait la loi et domine les années 1970.

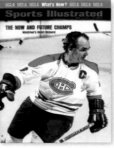

2 AVRIL 1973
Le petit frère du *Rocket*, Henri, remporte sa 11e Coupe, un record.

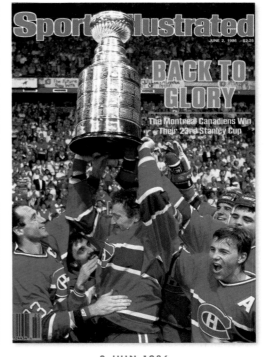

23 JANVIER 1956
Béliveau est tout le portrait d'un Canadien, ici juste avant la première de cinq Coupes d'affilée.

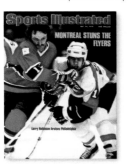

24 MAI 1976
La défense de Robinson est la clé de deux finales d'affilée sans défaite.

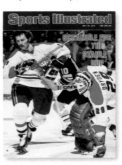

7 FÉVRIER 1977
Lafleur brille lors des séries éliminatoires avec 26 points.

29 MAI 1978
Une défense solide aide Montréal à chasser les Bruins.

2 JUIN 1986
Encore une pour *Big Bird*. Larry Robinson (au centre), membre du Temple de la renommée, remporte six Coupes avec Montréal.

Sports
Illustrated

JUNE 14, 1993 $2.95 U.S. / $3.95 CANADA

Très
Bien,
Canadiens

Montreal upends Los Angeles
in the Stanley Cup

14 JUIN 1993

Victoire ! Montréal survit à trois matchs en prolongation et un déficit en début de séries pour remporter sa plus récente Coupe Stanley.

L'ÉQUIPE DU PEUPLE

Les services rendus aux gens du Québec sont l'héritage du Canadien | JEAN BÉLIVEAU *se racontant à Michael Farber*

ALORS QUE LE CANADIEN DE MONTRÉAL célèbre cette saison son 100ᵉ anniversaire, d'aucuns diront : « Cent, ce n'est qu'un chiffre. » Soit. Mais essayez de faire vivre une organisation ou une entreprise pendant 100 ans. J'ai lu un article une fois qui affirmait que plus des ¾ des entreprises familiales ne tiennent pas trois générations. Le Canadien n'est pas une entreprise familiale, mais il a un air de famille et il a tenu. Et je pense que vous conviendrez que le Canadien n'est pas une entreprise ordinaire.

Je voyage dans tout le Canada, je vois quantité de chandails de Montréal dans l'Ouest et dans les Maritimes et je songe au niveau élevé d'appui que cette équipe suscite partout, pas seulement au Québec. Au Québec, bien sûr, de nombreuses personnes s'identifient au succès du club, à ses grandes victoires gagnées au fil de ces 100 ans. En raison de telles réussites, le Canadien a inculqué une croyance chez les gens de cette province selon laquelle eux aussi peuvent réaliser de grandes choses — et de la bonne manière.

Les partisans de cette équipe se passent le flambeau d'une génération à l'autre. Je me rappelle être assis chez moi à Victoriaville en 1945 en train d'écouter *La soirée du hockey* à la radio quand Maurice a marqué 50 buts en 50 matchs. Chaque cour arrière avait sa petite patinoire, et vous pouviez faire semblant d'être Maurice ou Elmer Lach ou *Toe* Blake ou Milt Schmidt de Boston, ou Gordie. Mais nous n'avions aucun doute : le héros, c'était Maurice. En vieillissant, je me suis mis à jouer centre, alors pour moi Elmer était spécial aussi. Quand Elmer a été blessé en 1952, on m'a appelé pour le remplacer pendant trois matchs, et j'ai joué un peu avec Elmer après la signature de mon premier contrat en 1953.

Aujourd'hui, j'ai 77 ans et je fais partie de cette grande

Béliveau, 77 ans, a été associé à l'organisation du Canadien depuis 55 ans.

organisation depuis 55 ans. Je n'imagine pas une association qui dure aussi longtemps. Je suis très fier de cette relation parce que peu importe ce qui se passe sur la glace, les Canadiens ont toujours tenté de faire les choses correctement — les yeux tournés vers l'avenir tout en respectant le passé. Mon titre d'ambassadeur signifie que je donne des conférences et signe des autographes, mais comme je ne suis pas du genre à me coller à l'équipe, je reste en retrait la plupart du temps. Les choses ont changé; c'est une autre époque avec des joueurs différents, et c'est maintenant leur tour.

Mon tour est venu il y a deux générations. Bon nombre de personnes qui assistent aux matchs aujourd'hui ne m'ont jamais vu jouer; ils comparent les joueurs d'aujourd'hui avec ceux qu'ils voyaient dans les années 1980. J'ai toujours eu beaucoup de respect pour ceux qui m'ont précédé. Peut-être n'étions-nous pas bien payés mais nous gagnions plus que les joueurs des années 1920 et 1930. J'ai toujours eu le sentiment que ces joueurs-là ont bâti cette organisation du Canadien pour nous, et j'ai le sentiment que notre bande des années 1950 et 1960 l'a bâtie pour la bande de la fin des années 1970 et 1980. Je pense que le groupe de joueurs actuel a compris cet enjeu, surtout avec les célébrations entourant le 100ᵉ anniversaire.

Toute équipe représente énormément pour ses partisans, mais le Canadien suscite une émotion différente en raison de sa relation étroite à Montréal et à la Province. En 2000, la franchise a créé la Fondation des Canadiens pour l'enfance. Ma propre fondation, en 1993, a été transférée à la Société pour les enfants handicapés du Québec. Alex Kovalev a fondé « Les Amis de Kovy » pour les enfants malades et défavorisés. La Fondation Saku Koivu ramasse des fonds pour le traitement du cancer. Si tout le monde fait sa part, les gens en profitent.

Pendant la 100ᵉ année, nous devons nous rappeler que le Canadien sera toujours l'équipe du peuple. □